KEN POINT

5つの問題ジャンル

謎検では、「謎解き力」を以下の5ジャンルに分けて
出題・判定しています。

【ひらめき力】
過去の経験・記憶から、
直感的に答えを引っ張り出してくる力

【注意力】
よく観察し、問題の中にある違和感や
違いに気が付く力

【分析力】
情報を多角的に捉え、
解答までの道筋を組み立てる力

【推理力】
ルールや法則を見つけ出し、
答えを導く力

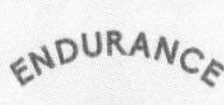

【持久力】
最後まで諦めずに謎に向き合う力、
もれなく確認しながら解いていく思考体力

CONTENTS

もくじ

問題編

解答・解説編

HOW TO NAZOKEN

この本の使い方

- 本書は「問題編」「解答・解説編」に分かれています。

- 謎検を受検予定の方は巻末の解答用紙を切り離し、
時間を計って解いていくことをおすすめします。
必ず「注意事項」を読んでから始めてください。

- 謎検模試はすべて傾斜配点です。
配点は問題ページの右下に記載されています。

- 問題のジャンルを「第7回謎検」、および「謎検模試」は
解答・解説ページに、「練習問題」は問題ページと
解答・解説ページの両方に記載しています。
ご自身の苦手なジャンルを分析するのにお役立てください。

用意するもの

- ✓ 筆記用具
- ✓ メモ用紙
- ✓ タイマー（必要に応じて）

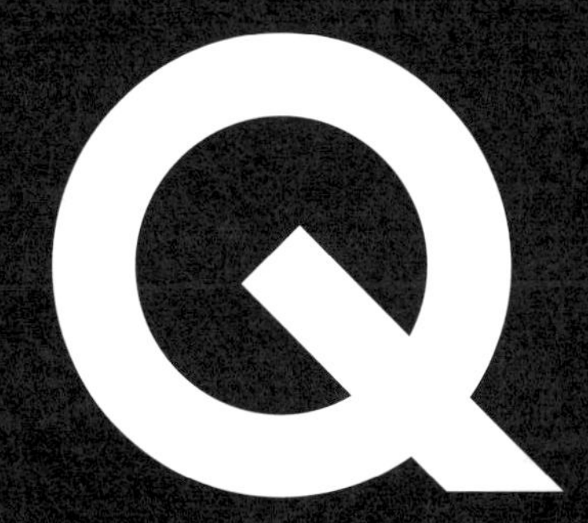

QUESTION

問題編

???

第7回 謎検

NAZOKEN

? 第7回 謎検

2021年5月28日～ 31日開催（Web検定）
主催：SCRAP

・問題数　50問
・制限時間　60分
・配点　1問 1 ～5点（100点満点）

! 注意事項

1. 問題数は50問、制限時間は60分です。
一部の問題は選択問題となります。

2. 解答の文字の種別（漢字、ひらがな、カタカナなど）は、
特に指定がない限り、いずれも正解とみなします。
選択問題は、当てはまるものを○で囲んでください。

3. 第7回謎検を未受検の方は、
巻末の「第7回謎検 解答用紙」を切り離し、答えを記入、
終了後に採点することをおすすめします。

4. 受検済の方が改めて解く場合は、
問題ページに答えを書き込んでもよいでしょう。

5. 解答・解説はP.116から掲載しています。

6. 難易度によって1問1 ～ 5点の傾斜配点方式を採用しており、
満点は100点です。各問題の点数は問題の右下に示しています。

01

ふりたはいき

解答

1点

⇒ 正解　P.117

02

この熟語は何？

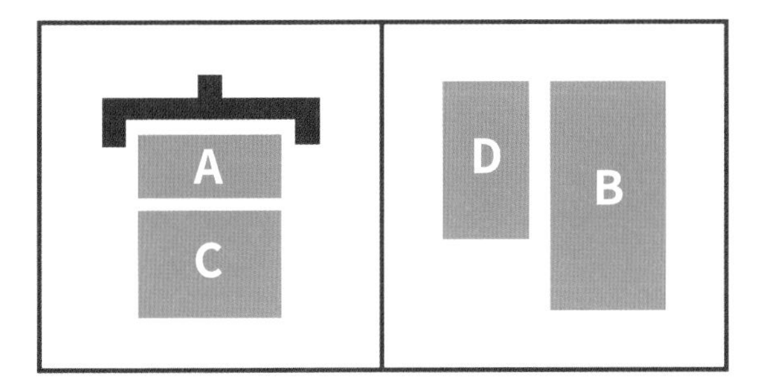

ABCD＝はちがつここのか

解答

1点

⇒ 正解　P.117

03

対応を直線で結び、
通らなかった文字を上から読め。

解答

1点

⇒ 正解　P.118

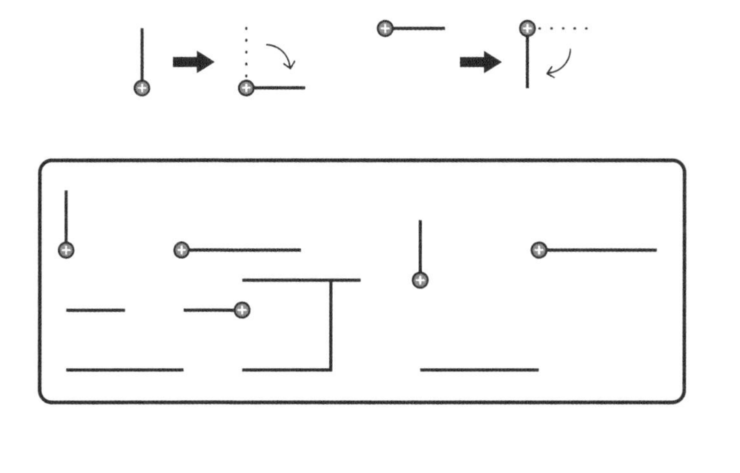

1点

⇒ 正解　P.118

05

℃ ➡ これは●゛と読み、
①②●゛を表すのに使う。

° ➡ これは●゛と読み、
③④●゛を表すのに使う。

①②③゛④＝？

解答

1点

⇒ 正解　P.119

06

上昇中の気球を左から順に読め。
答えは3文字。

解答

1点

⇒ 正解 P.119

07

つ＝

し＝

→はどれ？

1 これ　2 それ　3 あれ

①　②　③

1点

⇒正解　P.120

08

いぬい、？？？、さじ、つ、ひま、
うみ、つた、うら、とし、うね

1点

⇒ 正解　P.120

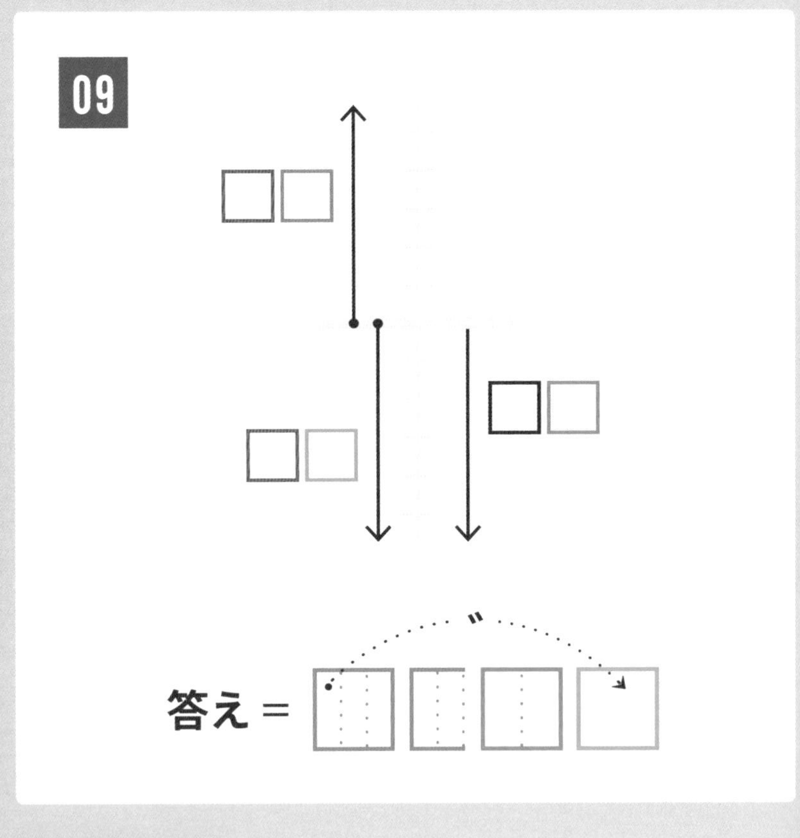

解答

2点

⇒ 正解　P.121

①②＝？

1点

⇒ 正解　P.121

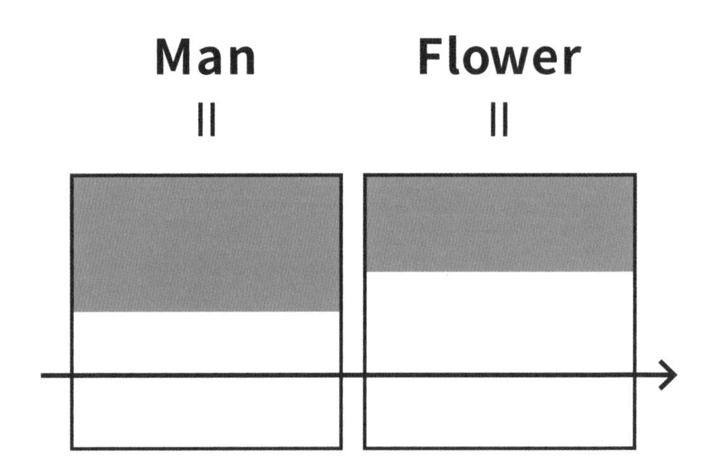

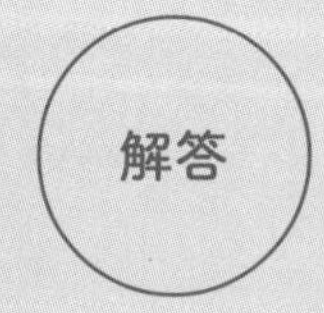

1点

⇒ 正解　P.122

12

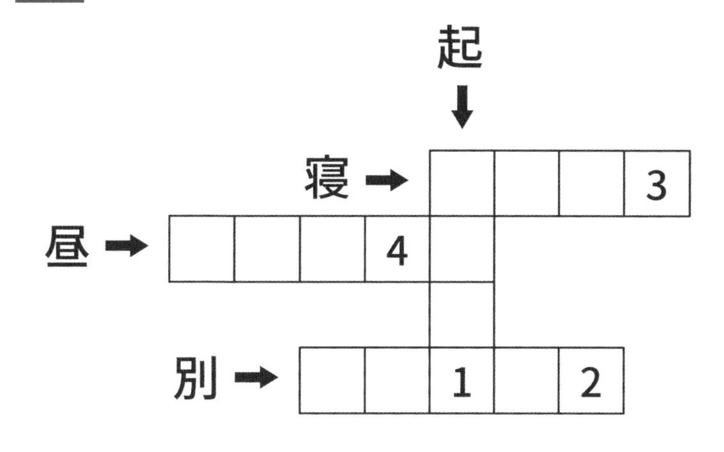

1 2 3 4 ＝？

解答

2点

⇒ 正解 P.122

13

こしをうごかす

こごしごご = わき

うし = ？

解答

1点

⇒ 正解　P.123

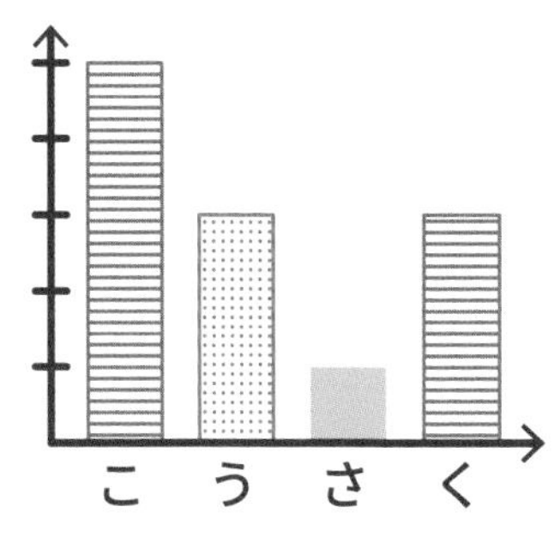

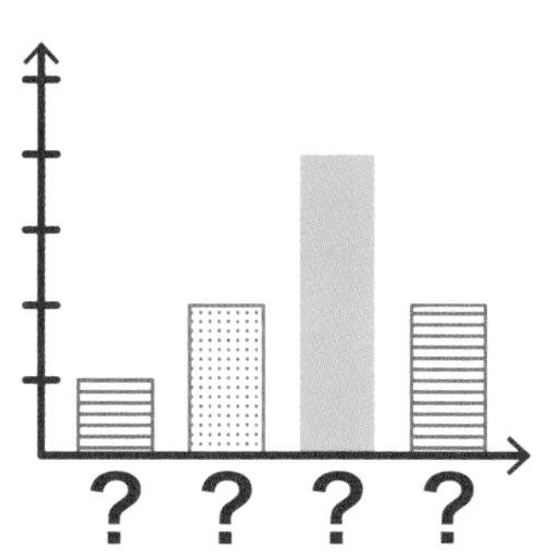

解答

1点

⇒正解 P.123

15

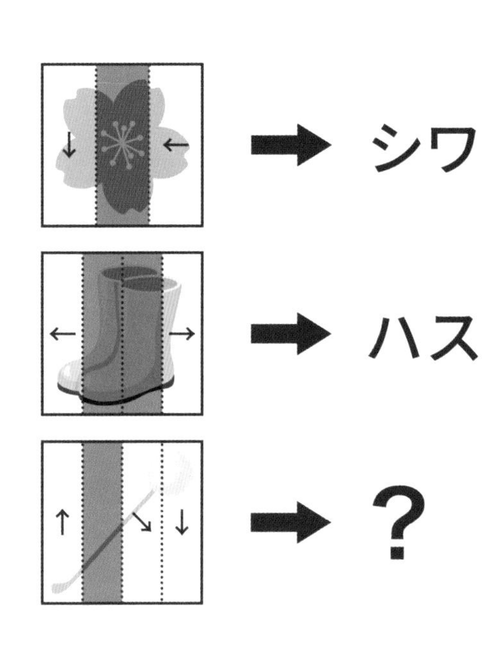

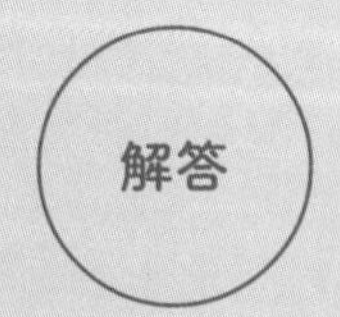

1点

⇒ 正解　P.124

16

7変3異 ➡ 自然界に起こる異変

81浴 ➡ 夏の風物詩

65 ＝ ？

解答

2点

⇒ 正解 P.124

17

??★ ➡ 渡すもの

??っぱり ➡ 性格

しち??べ ➡ 遊び

あ??お ➡ 花

ひ??た ➡ 図形

い??ん ➡ ナンバーワン

??は同じジャンルだが、それぞれ違うものが入る。
★に当てはまるひらがな1文字は?

❶う　❷こ　❸と　❹し

解答　❶　❷　❸　❹

1点

⇒正解　P.125

18

209 ＝

6゛55 ＝

7 ⊥ ＝

4 + 8 3 ＝ ?

解答

2点

⇒ 正解 P.125

19

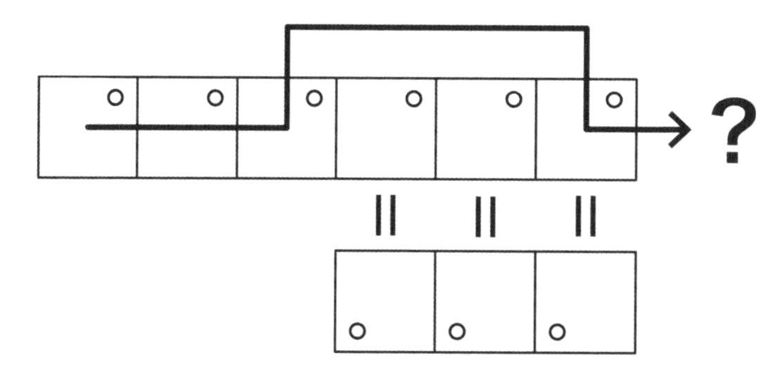

2点

⇒ 正解　P.126

20

ひらがなをくうらんにいれて
しきをかんせいさせろ。

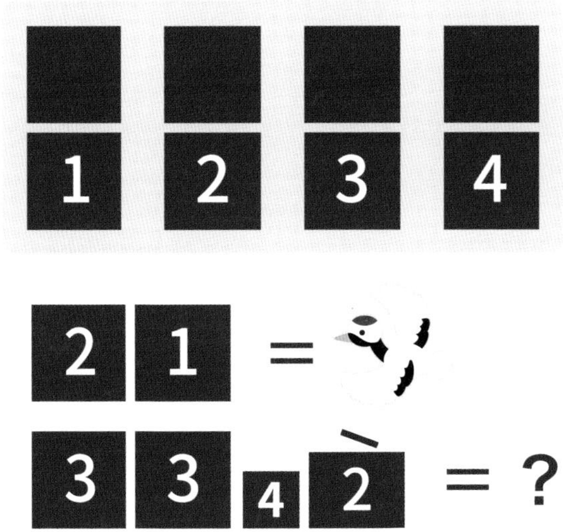

2 1 ＝

3 3 4 2 ＝ ？

解答

1点

⇒ 正解　P.126

21

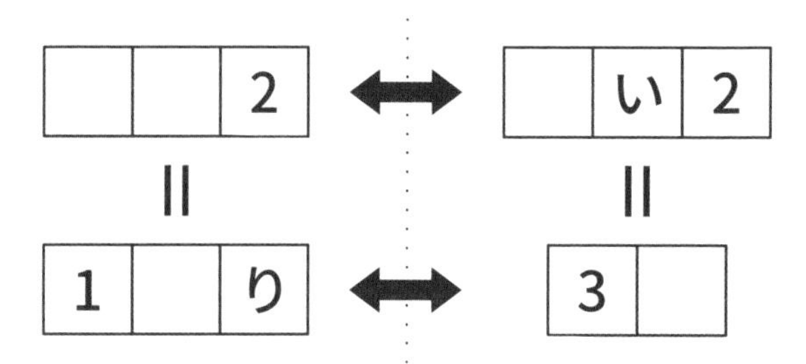

答えは体の一部。

解答

2点

⇒ 正解　P.127

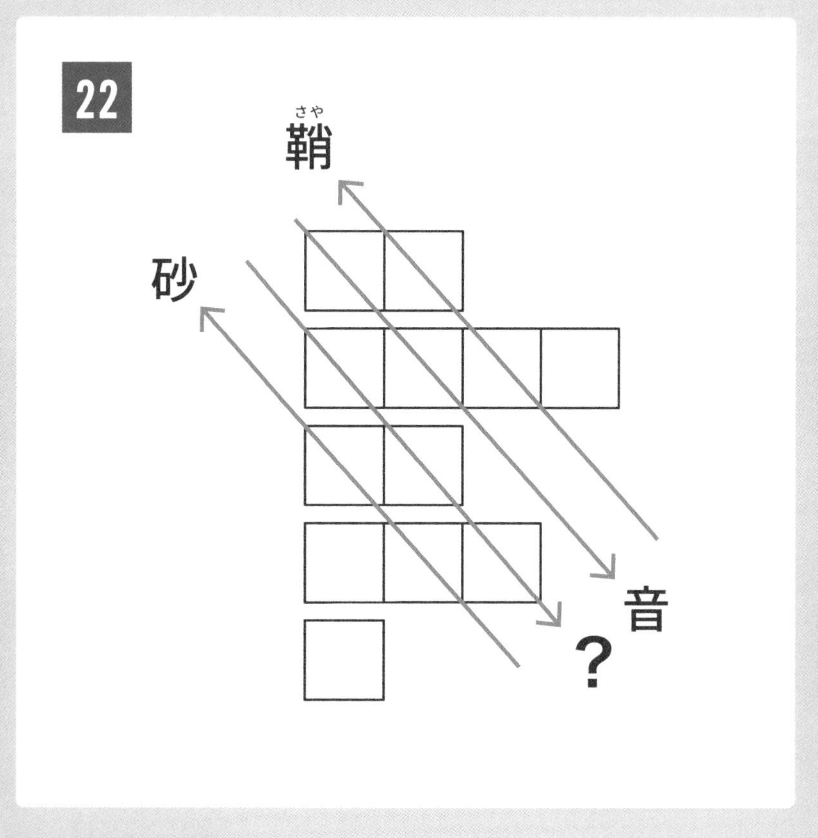

解答

2点

⇒ 正解 P.127

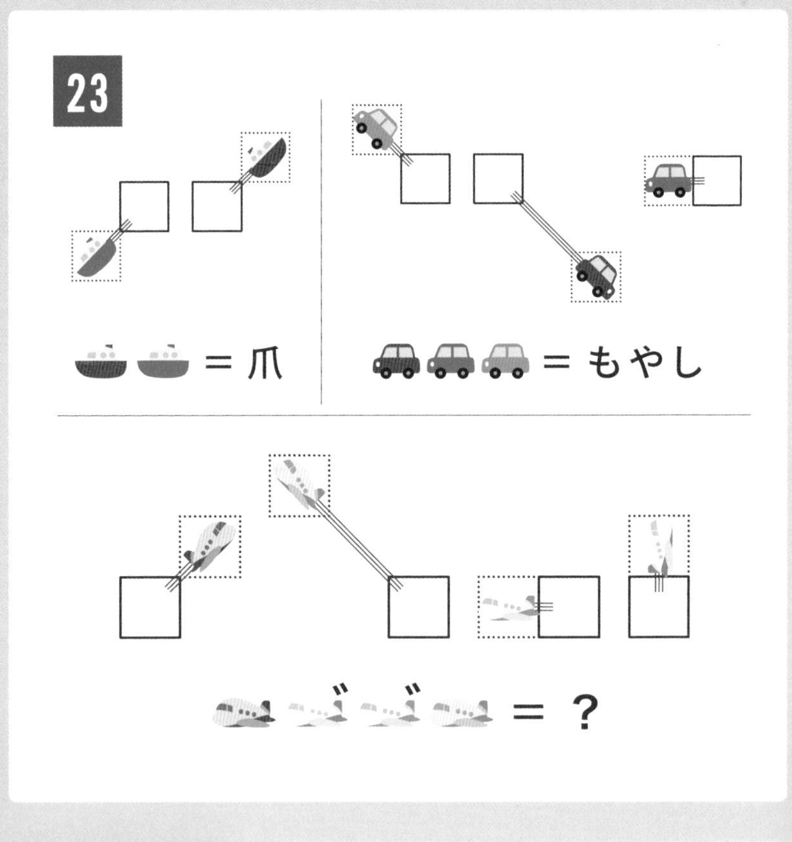

2点

⇒ 正解　P.128

24

1 2 3 4゛5 名

お31の袋内などで
1っ4を取2去5
3ん燥剤の一種。

1 2 3 4゛5 = ？

解答

2点

⇒ 正解 P.128

25

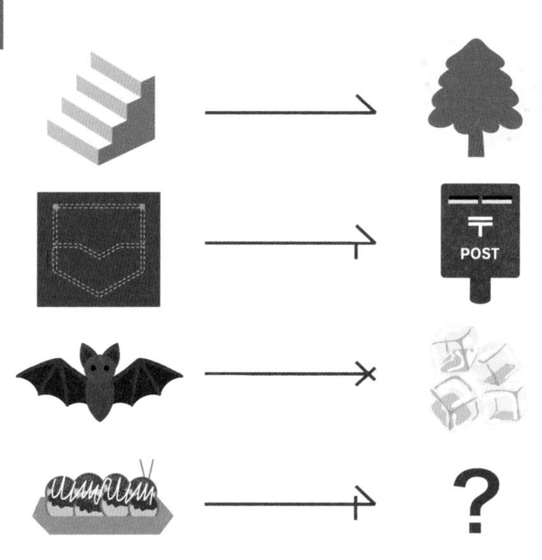

?に入るイラストの言葉が答え。

解答

2点

⇒ 正解　P.129

26

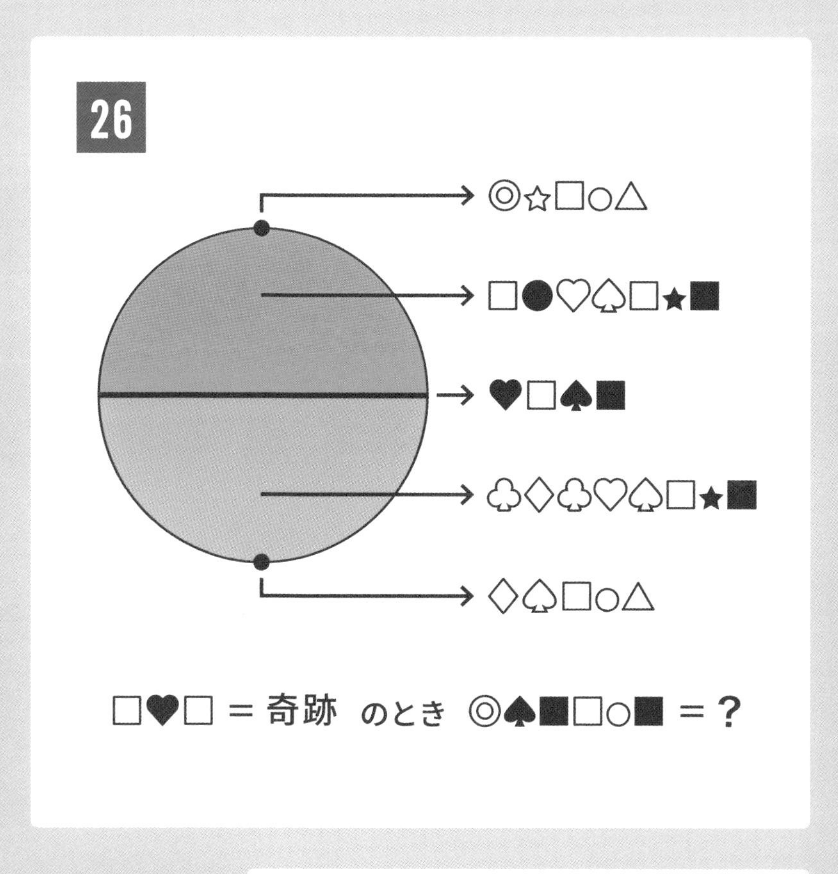

2点

⇒ 正解 P.129

27

正しく解くには
限りないふかさ
まですべて思考

ANSWER以外を消し、上から順に読め。
答えはひらがな4文字。

解答

2点

⇒ 正解　P.130

28

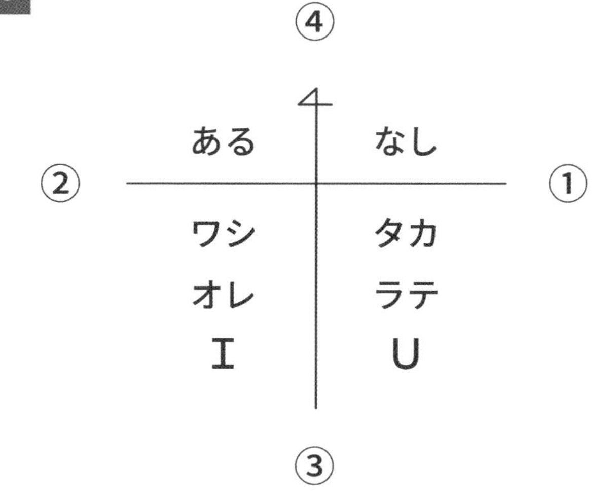

「ある」に入るのは①〜④のうちどれ?

解答

① ② ③ ④

2点

⇒ 正解 P.130

29

ヌ う ヌ い

●の中を読め。
答えは漢字で2文字の言葉。

解答

3点

⇒ 正解　P.131

30

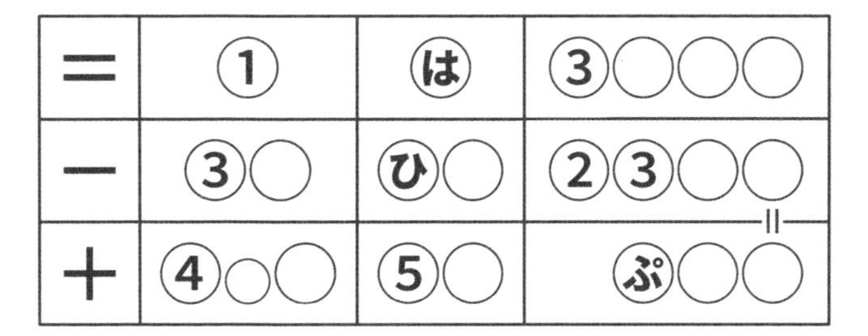

①②③④⑤＝？

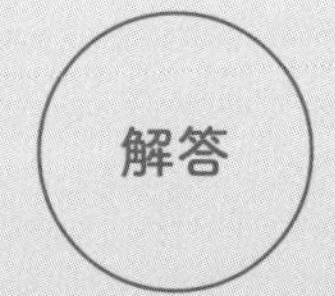

2点

⇒ 正解 P.131

31

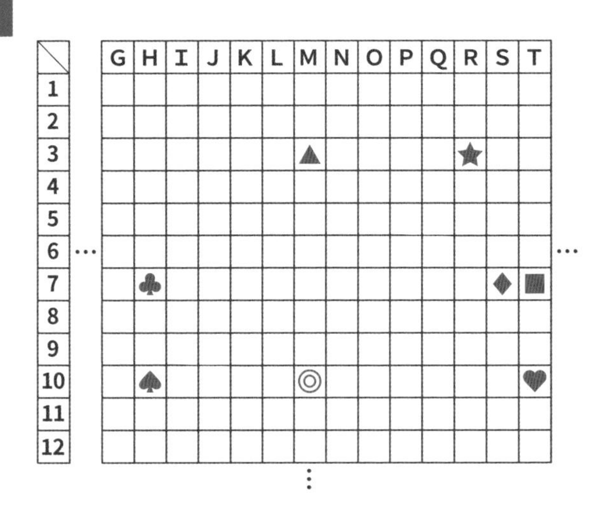

♥の11後が♦、♦の63後が♣、
♥の3つ前が■、▲の7つ後が◎のとき、
★をひらがな3文字で答えろ。

解答

3点

⇒ 正解　P.132

解答

2点

⇒ 正解 P.132

33

がんじつ ＝ こどものひ ＝ 1

①○○○○ ＝ 1.25

○②○○○○○○ ＝ 1.66…

○○③○○ ＝ 3.66…

①②③＝？

解答

2点

⇒ 正解　P.133

34

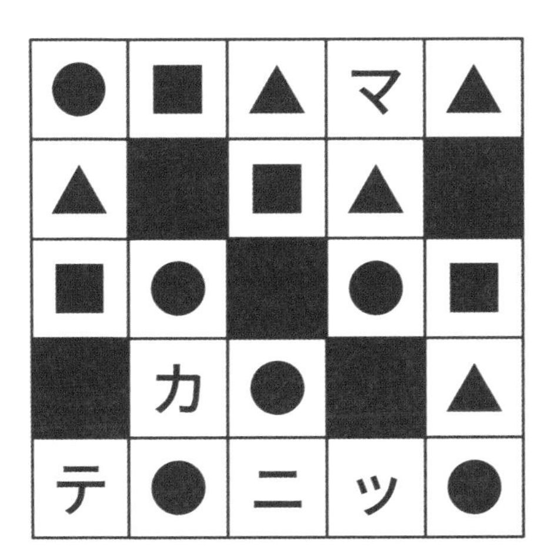

●▲■＝？

解答

3点

⇒ 正解　P.133

35

⓪①②③④゛⑤①⓪④⑥⑦⑧⑨？

⑨ ← 2

⓪゛ ← 5

⑧⑧ ← 7

⑥⑤⓪゛ ← one, two, three,…

⑧⑤③ ← 9

⑦③④⑤ ← 0123456789

⓪④⑥ ＝ ⑨②①

答えは3文字の料理名。

解答

2点

⇒ 正解　P.134

36

6＋○△□＝♤♡♧○△△□

A□♤W△R ♡♤ □△♧○

カタカナ4文字で答えろ。

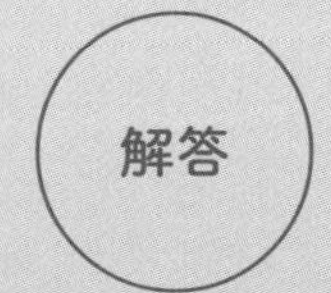

2点

⇒ 正解 P.134

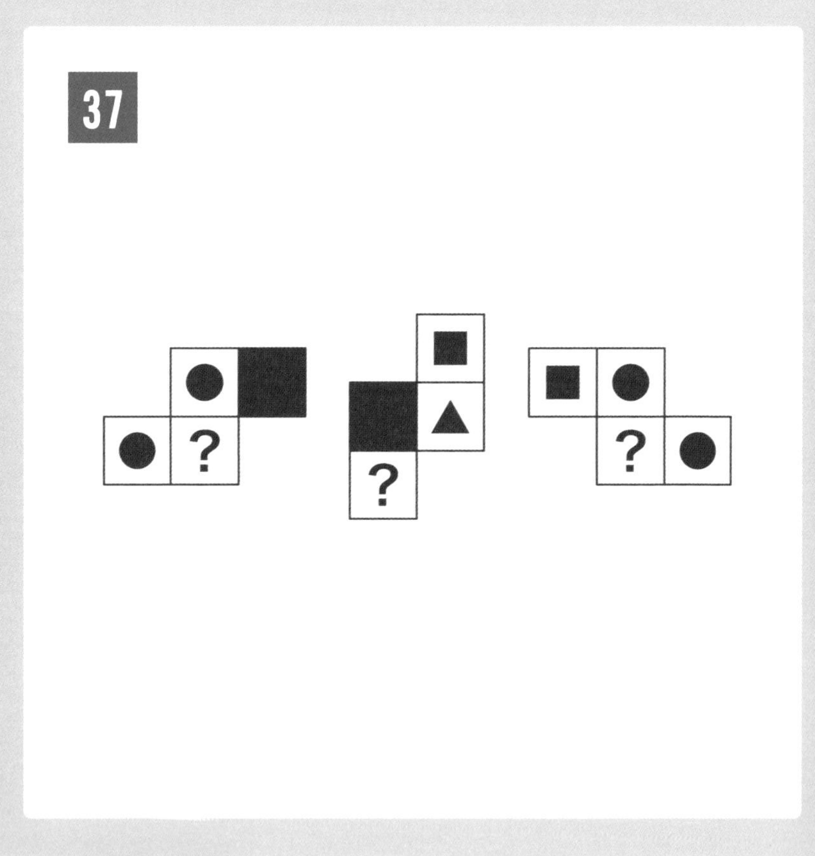

2点

⇒ 正解　P.135

38

- 水
- 炭酸水
- スポーツドリンク

→ ○④①○○○

- ワイン
- 日本酒
- 栄養ドリンク

→ ○②

- コーヒー
- コーンスープ
- おしるこ

→ ③○

①②③④＝？

解答

2点

⇒ 正解　P.135

39

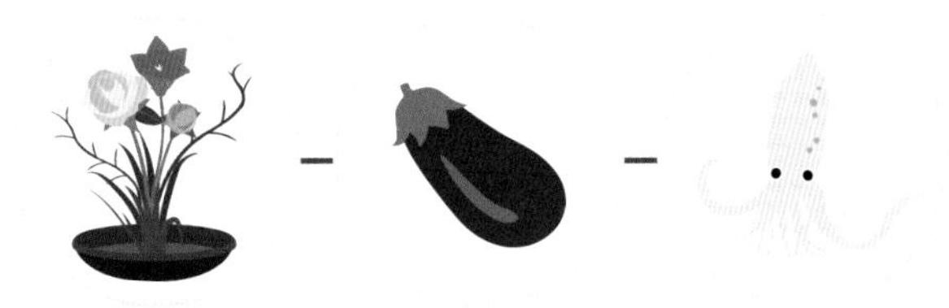

=

 － ? － 

解答

2点

⇒ 正解　P.136

40

たてものが
あしが8ほ
なにもない
んあるむし
とちのこと

答えは5文字の食べ物。

解答

2点

⇒ 正解 P.136

41

$$\frac{2}{21} = \frac{6}{21} = \frac{10}{21} = う$$

$$\frac{4}{21} = \frac{17}{21} = と$$

$$\frac{19}{21} = \frac{21}{21} = い$$

$$\frac{8}{21} = \frac{13}{21} = つ$$

$$\frac{15}{21}\ \frac{5}{21}\ \frac{9}{21} = ?$$

解答

3点

⇒ 正解　P.137

42

一昨日よりも昨日よりも
私、もっとこの仕事で
稼ぎたい！（迫真の演技）

③①③①増えていく
③②形の③゛②゛ネスへの思いが
③②③②と伝わってくるとき、
①②③゛を漢字2文字で答えろ。

解答

2点

⇒ 正解　P.137

43

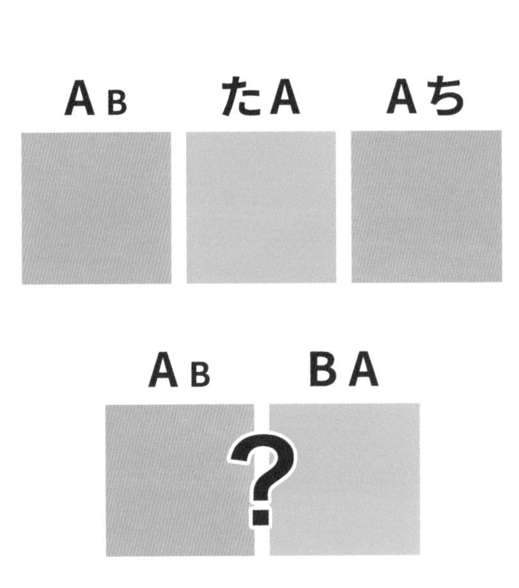

3点

⇒ 正解　P.138

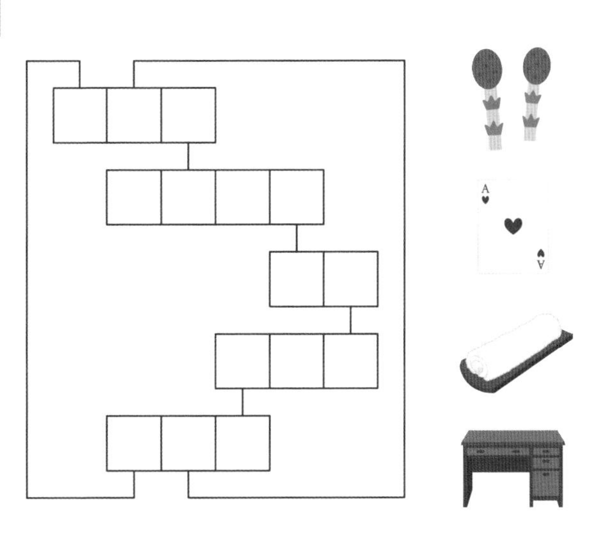

あと1つ足りない動物は？

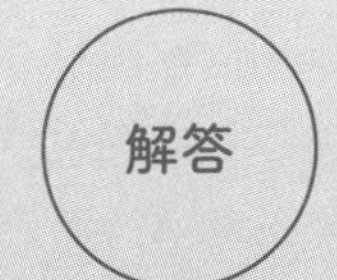

2点

⇒ 正解 P.138

45

5×5 ➡ 勝ち・負け

2×2×5 ➡ 負け・勝ち

2×5×5×5 ➡ あいこ・あいこ・あいこ

2×2×5×5×5 ➡ A・B・C

Aに入るのは？

1 勝ち　2 負け　3 あいこ

解答　① ② ③

2点

⇒ 正解　P.139

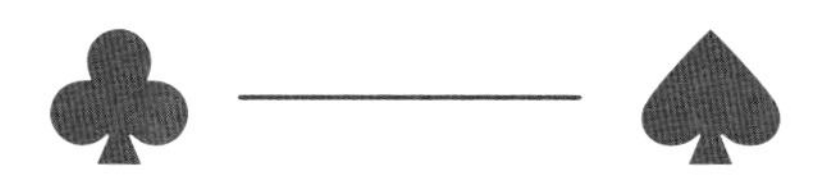

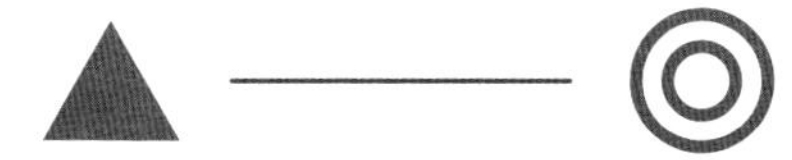

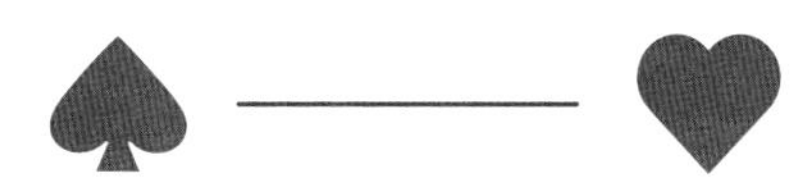

現れる漢字1文字は？

解答

3点

⇒ 正解 P.139

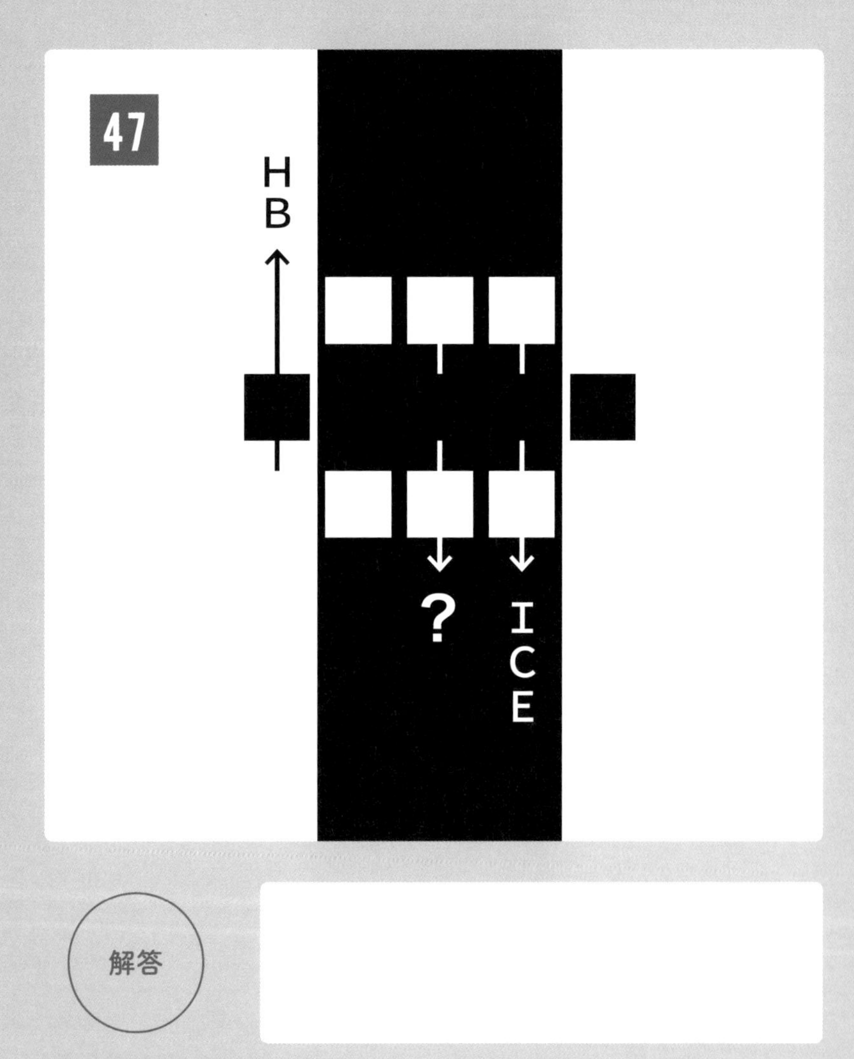

解答

3点

⇒ 正解　P.140

48

解答

4点

⇒ 正解 P.140

49

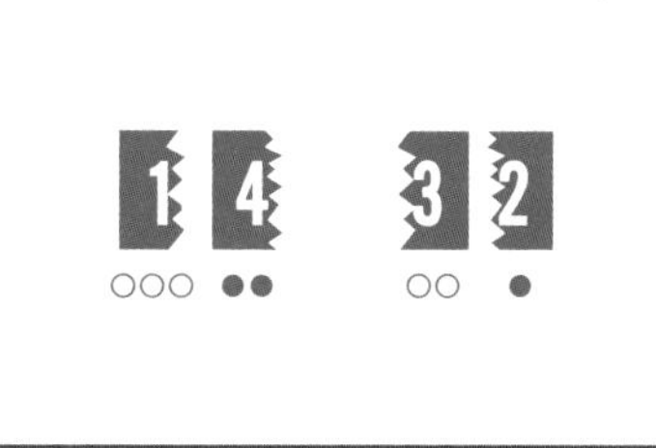

＝

12 24 30
36 43

もうひとつ
下の四角に入るべき
6文字の食べ物は？

解答

5点

⇒ 正解　P.141

50

10 から始まるループが「つきみ」、
03 から始まるループが「ひなまつり」のとき、
もう1つのループを読め。
答えは行事名。

解答

5点

⇒ 正解 P.141

???

謎検模試

01

NAZOKEN

? 謎検模試 01

（書籍オリジナル問題）

・問題数　　20問
・制限時間　25分
・配点　　　1問 2 ～10点（100点満点）

! 注意事項

1. 問題数は20問、制限時間は25分です。
すべて書籍オリジナル問題です。

2. 解答の文字の種別（漢字、ひらがな、カタカナなど）は、
特に指定がない限り、いずれも正解とみなします。

3. 巻末の「謎検模試01解答用紙」を切り離し、答えを記入、
終了後に採点することをおすすめします。

4. 解答・解説はP.144から掲載しています。

5. 難易度によって1問 2～10点の傾斜配点方法を採用しており、
満点は100点です。
各問題の点数は問題ページの右下に記しています。

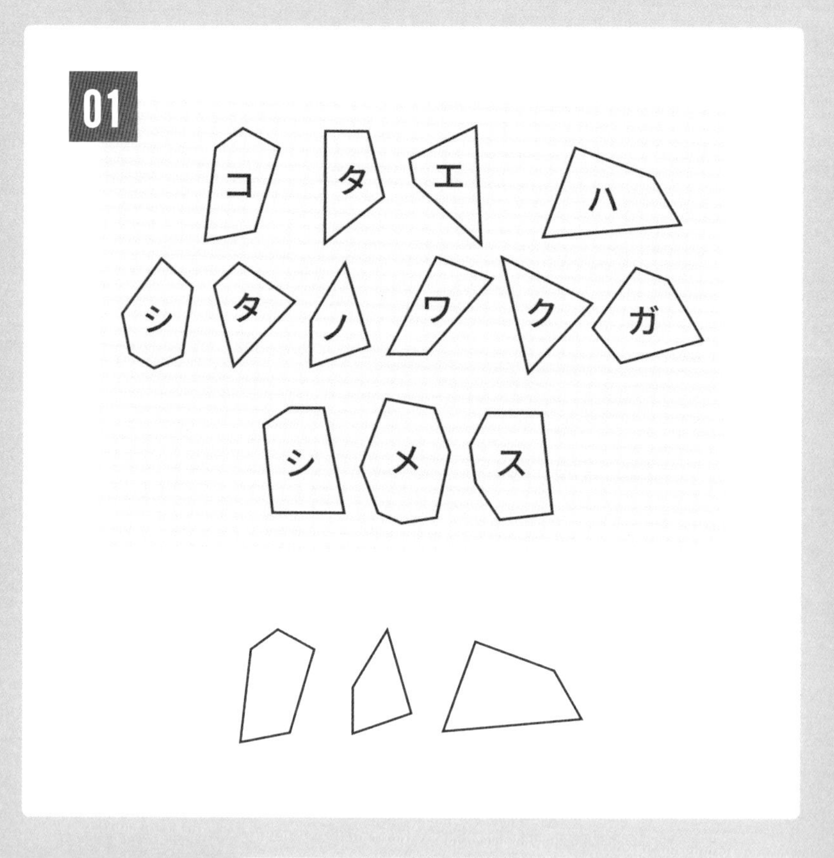

解答

2点

⇒正解　P.145

02

いき…いろ

まち…あまい

さてい ＝ ？

解答

2点

⇒ 正解 P.145

03

こたえのやさいは
かけています

解答

3点

⇒正解　P.146

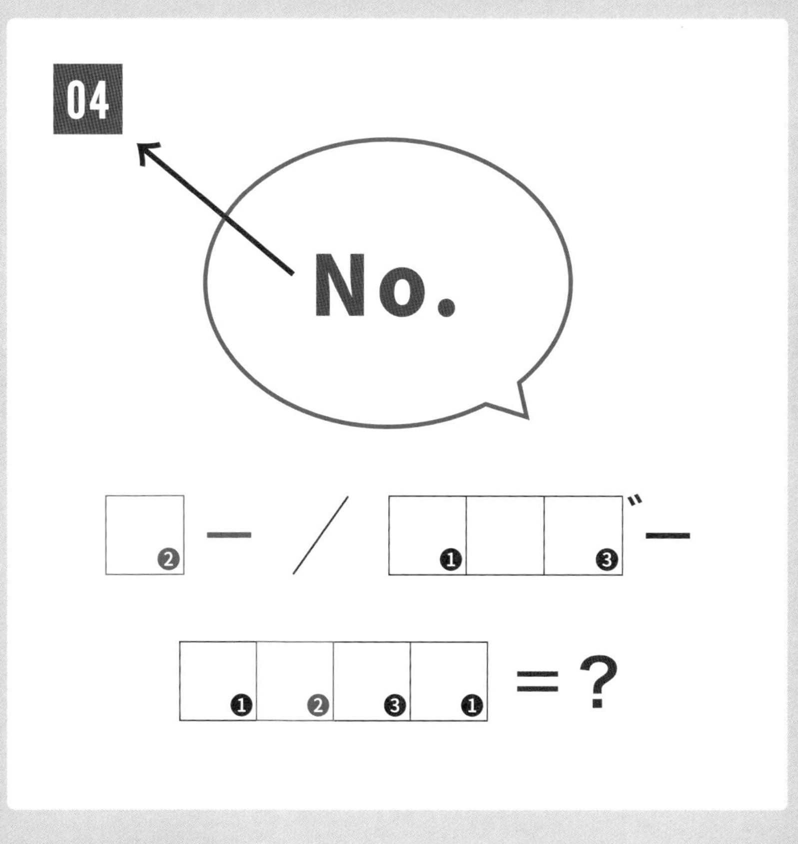

解答

4点

⇒ 正解　P.146

05

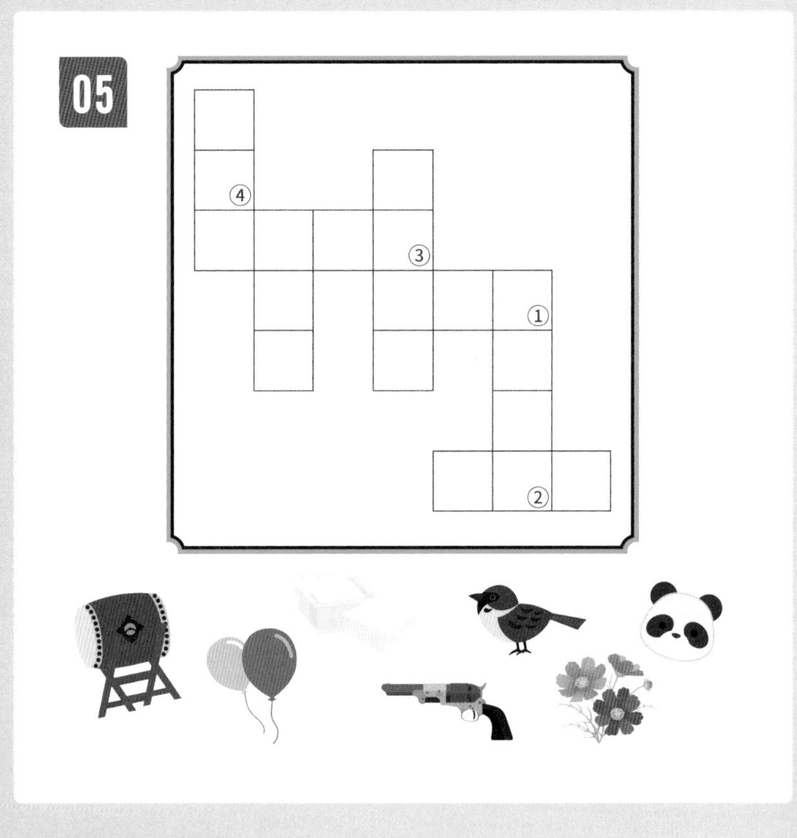

解答

3点

⇒ 正解　P.147

06

$$\frac{2}{1} = \frac{3}{7} = \frac{3}{9} = \text{ン}$$

$$\frac{3}{5} = \frac{2}{8} = \frac{2}{9} = \text{イ}$$

のとき

$$\frac{1}{8}\ \frac{2}{3} = ?$$

解答

3点

⇒ 正解　P.147

07

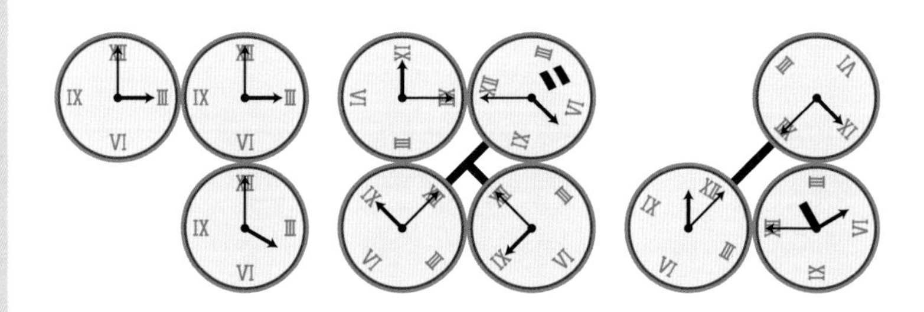

ちょうど3時間後を見ろ

解答

4点

⇒ 正解　P.148

08

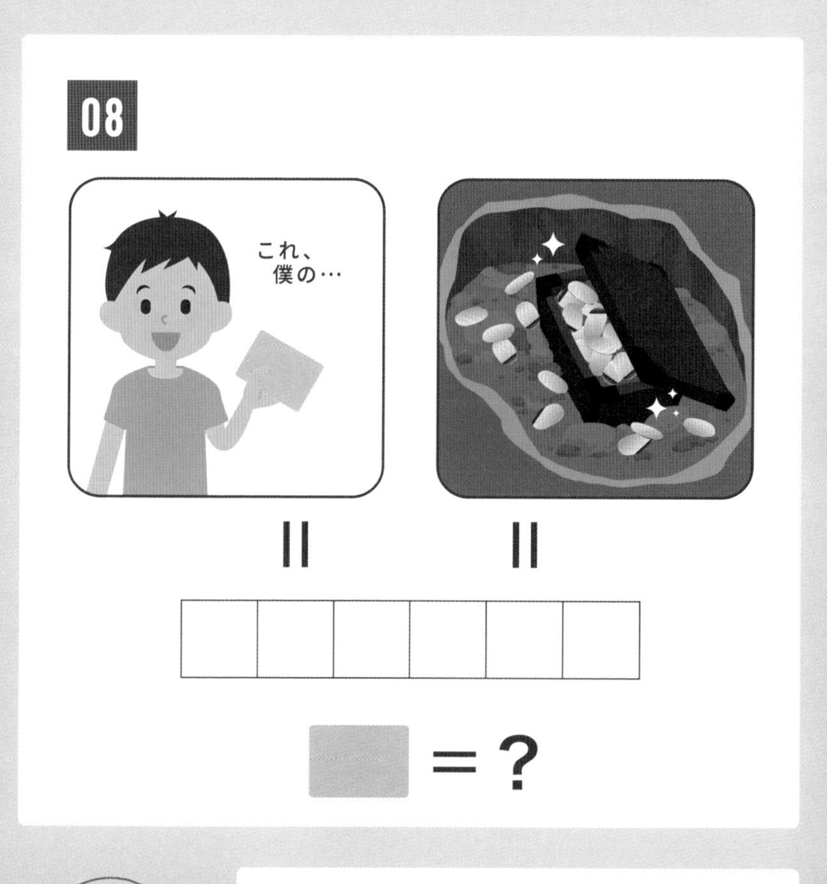

解答

2点

⇒ 正解 P.148

09

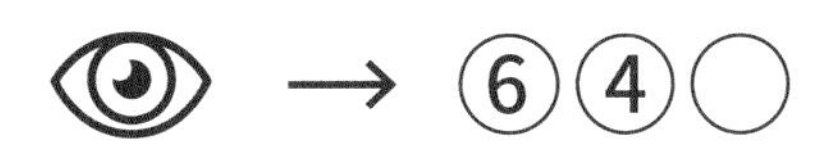

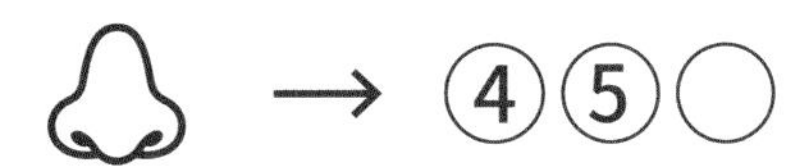

→ ⑤③

→ ①②

⑥② ＝ 肘　　④⑤ ＝ 顔

①②③ ＝ ？

解答

5点

⇒ 正解　P.149

同じ柄の四角には同じパーツが入る

①④②③④＝？

解答

6点

⇒ 正解　P.149

11

せっぷく ⇦⬅ しちがつ

じき ➡⇦ つきひ

とけい ➡⇦ | | | ① |

きつえん ⇦⬅ | ③ | ② | |

左から右の熟語へ変化するとき

| ① | ② | ③ | ＝？

解答

4点

⇒正解　P.150

解答

5点

⇒ 正解　P.150

13

解答

6点

⇒正解　P.151

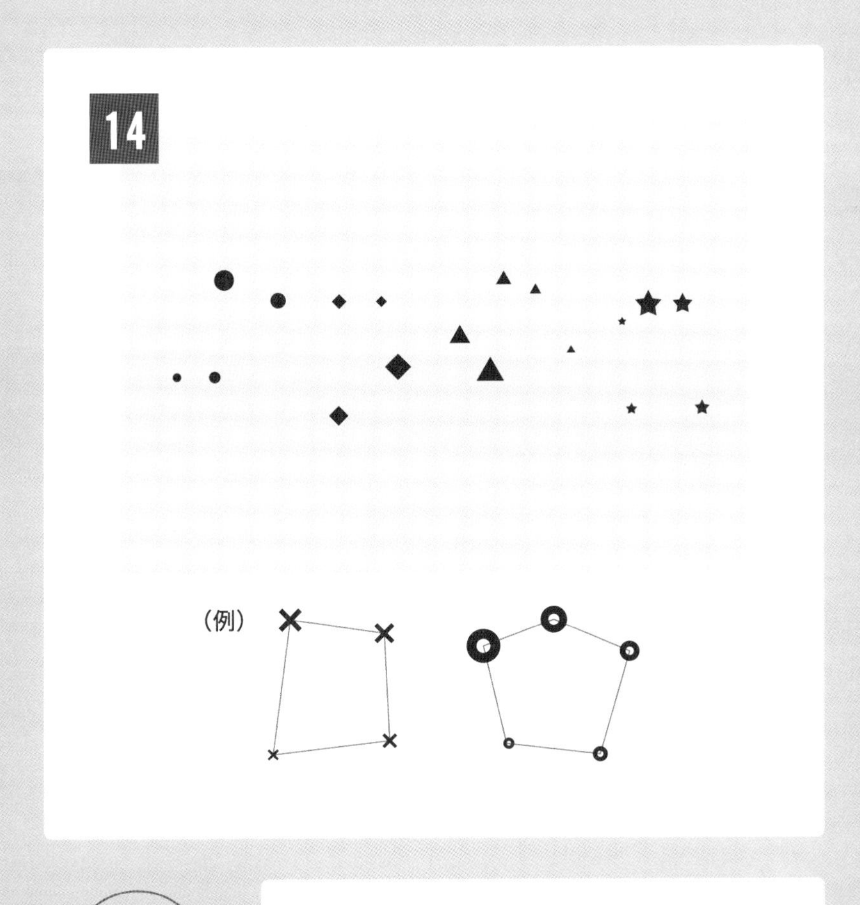

解答

5点

⇒正解　P.151

15

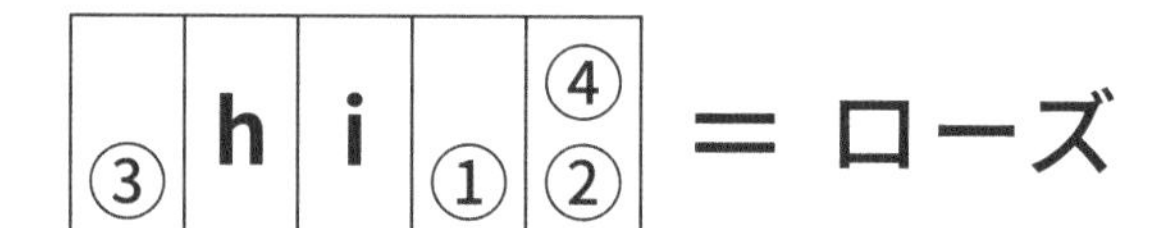

s ④ ② ① ③ ＝ ブック

❸ ❶ ❷ ＝ ？？？

答えはカタカナ3文字

解答

6点

⇒正解　P.152

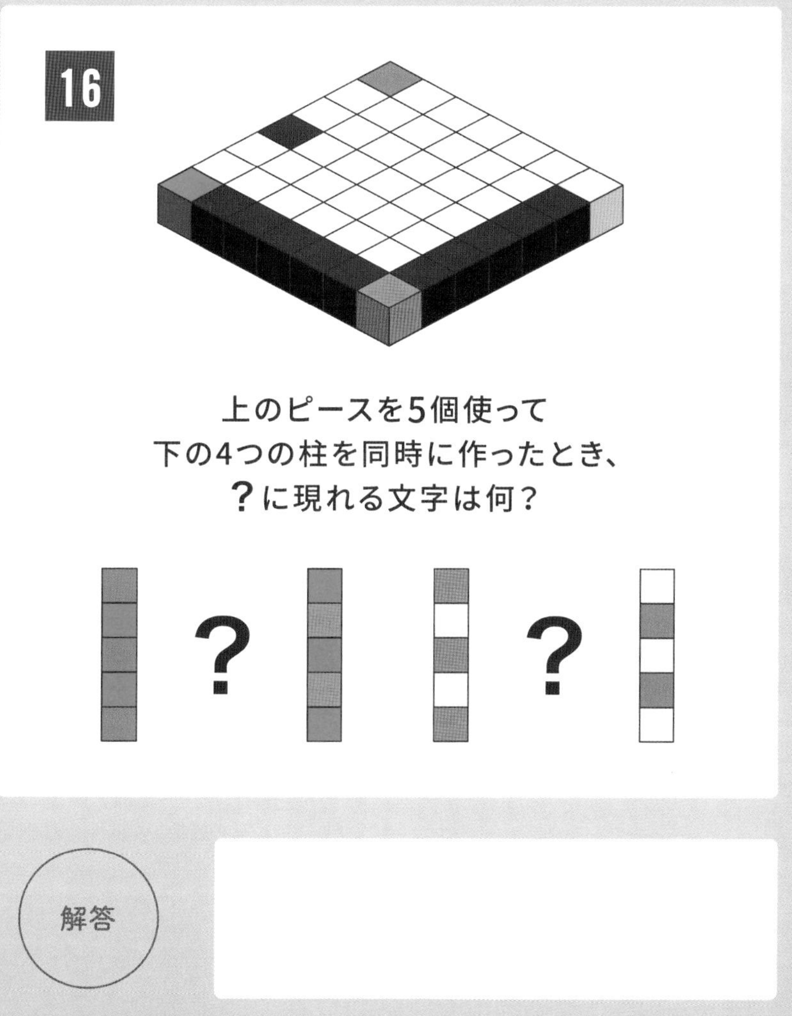

解答

6点

⇒ 正解　P.152

17

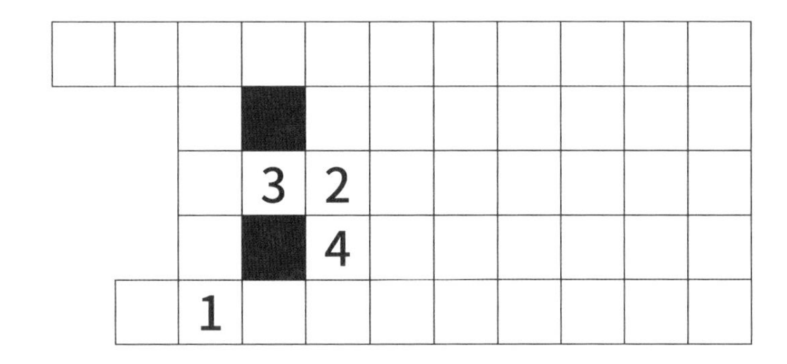

1－2－3－4－2

答えは2文字

解答

7点

⇒正解　P.153

18

2 3 3 = ？

解答

8点

⇒正解 P.153

19

すべての白マスを一度ずつ縦横に通り、
Sから**G**まで進め
ただし、数字の小さいものから順に通ること
また、奇数の書かれたマスを通るとき、
その次の数字が書かれたマスにワープすること

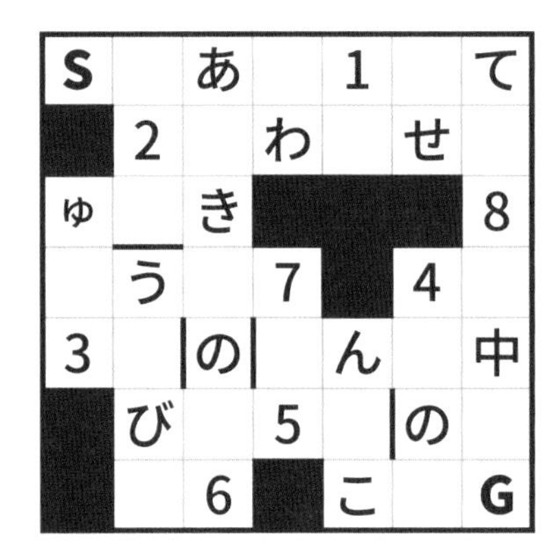

Sから**G**までに通った数字以外の文字を読め
その後、指示された場所を、
一番近い黒いマスが「下」「上」「左」「右」にある文字の順に読め

解答

9点

⇒ 正解　P.154

20

これまでの答えの頭を入れて
それぞれで取れる分だけ進め

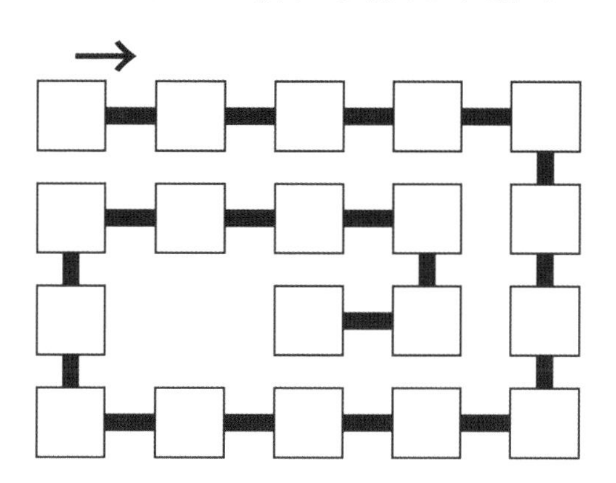

04 から始めたとき ➡ なぞとき
07 から始めたとき ➡ りかい
01 から始めたとき ➡ ？

解答

10点

⇒ 正解 P.154

???

謎検模試

02

NAZOKEN

? 謎検模試 02

（書籍オリジナル問題）

・問題数　20問
・制限時間　25分
・配点　1問 4 ～8点（100点満点）

! 注意事項

1. 問題数は20問、制限時間は25分です。
すべて書籍オリジナル問題です。

2. 解答の文字の種別（漢字、ひらがな、カタカナなど）は、
特に指定がない限り、いずれも正解とみなします。
選択問題は、当てはまるものを○で囲んでください。

3. 巻末の「謎検模試02解答用紙」を切り離し、答えを記入、
終了後に採点することをおすすめします。

4. 解答・解説はP.155から掲載しています。

5. 難易度によって1問4～8点の傾斜配点方法を採用しており、
満点は100点です。
各問題の点数は問題ページの右下に記しています。

01

このの けんぞのけんぞの
状態が表している
都道府県ってのけん〜んだ？

答えはひらがのけん5文字

解答

4点

⇒正解　P.156

02

答えは

①ままごと ②カタカナ ③とらんく ④さかさま

解答

4点

⇒ 正解 P.156

03

1壬 1代
2 4 2 2 4 2 = ちんたい
3 3

のとき

6 5 2 7 2 = ?

解答

4点

⇒ 正解 P.157

04

13＋3＋10 ＝ イエス

2＋8＋7＋5＋2 ＝ コミック

9＋11＋5＋2＋6 ＝ クイック

4＋1＋7＋3 ＝ ？

① タヌキ ② ゲーム ③ スター ④ ライム

① ② ③ ④

5点

⇒ 正解 P.157

05

①④＝ 気楽

と①②①＝ 時々

③さつ＝ ?

解答

4点

⇒ 正解　P.158

06

上から順に
頭に「バックアップ」をつけても言葉になるように
？に入る単語を選べ

茄子
巣
チキン
木
？
ナッツ

①ターン　②テーマ　③マシンガン　④ガーベラ

解答

①　②　③　④

4点

⇒ 正解　P.158

07

Y ● G I ➡ 植物

W ● G E ➡ 遊び

のとき

H ● U R ● I = ?

解答

4点

⇒ 正解　P.159

08 水色の枠に入る食べ物が答え

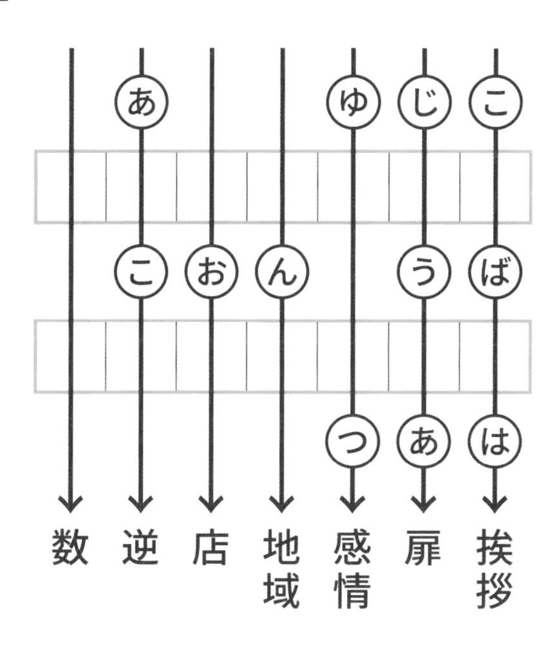

解答

4点

⇒ 正解 P.159

09

3 4

?
■
● ▲ ?
●
1 ?
★
2 ?
?

■●▲★をカタカナ4文字で答えろ

5点

⇒ 正解 P.160

10

ハテナの言葉選択しろ

?の話　ロバと足せ

①炉端　②花　③黒点　④年の瀬

解答

① ② ③ ④

4点

⇒正解　P.160

11

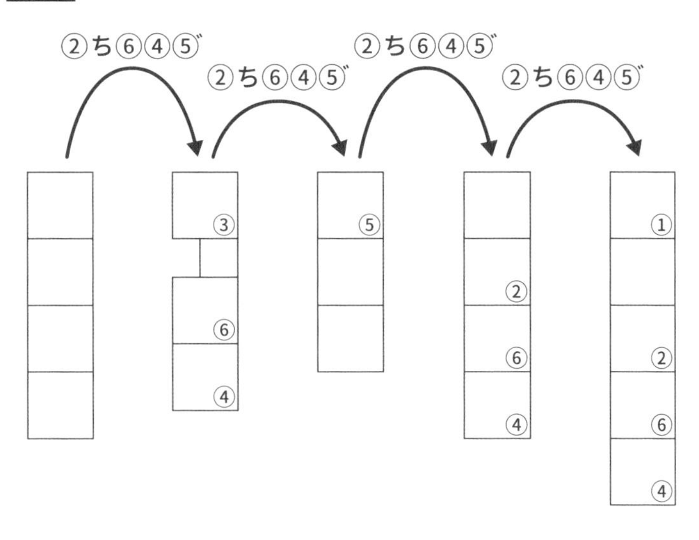

⑤たえは 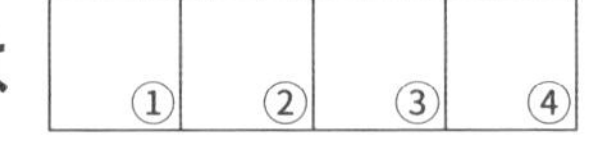

解答

4点

⇒ 正解　P.161

12

○＋○＝ 車 ＋ ルー ＋ 差

★＋★＝ シスター ＋ 帆

□＋□＝ 証 ＋ S ＋ ?

?に当てはまる2文字の言葉が答え

解答

5点

⇒ 正解 P.161

13

- ①゛②③゛④⑤
- ⑤④⑥④
- ⑤゛⑥

がすべて生き物となるように
①～⑥にカタカナを当てはめたとき、

③①② ＝ ?

1 コケシ　2 コタツ　3 テスト　4 タカラ

解答

① ② ③ ④

6点

⇒正解　P.162

14

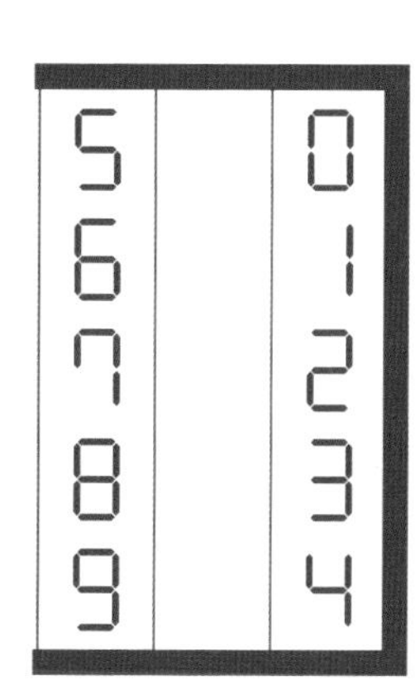

374 − 37 ＝ 505 のとき

9269201 が示す言葉は？

解答

6点

⇒ 正解 P.162

15

20個の選択肢から
5個選んで埋めろ

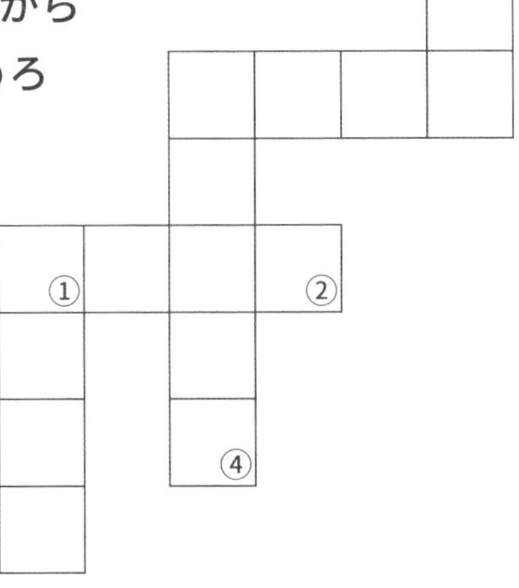

①②③④＝？

解答

6点

⇒正解　P.163

16

こたえはたこがきた

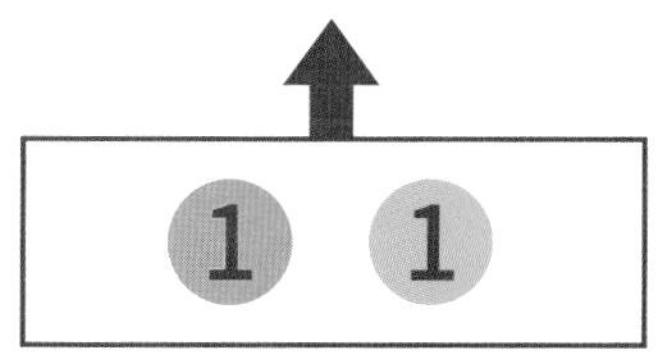

解答

5点

⇒ 正解 P.163

17

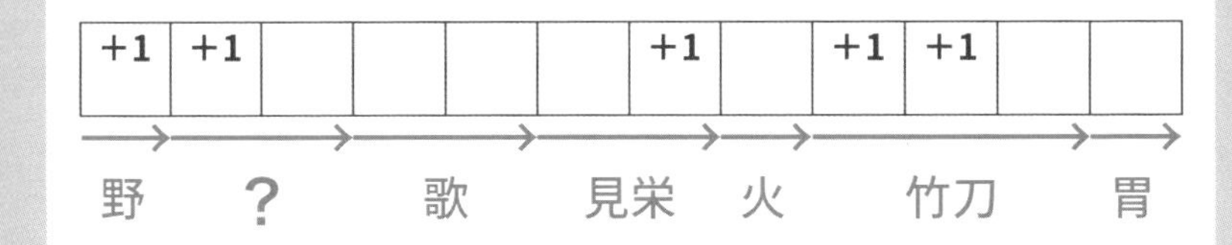

解答

6点

⇒ 正解　P.164

18

解答

6点

⇒ 正解 P.164

19

03							
14							
08							

AM ＝ 1

FM ＝ 7

RADIO ＝ ?

解答

6点

⇒正解　P.165

20

選択肢 ⟶ 答え

解答

8点

⇒ 正解 P.165

???

練習問題

NAZOKEN

? 練習問題

（Web掲載問題）

・問題数　　16問
・制限時間　20分
・配点　　　1問 4 ～10点（100点満点）

! 注意事項

1. 問題数は16問、制限時間は20分です。
Web掲載問題で構成されています。

2. 解答の文字の種別（漢字、ひらがな、カタカナなど）は、
特に指定がない限り、いずれも正解とみなします。
選択問題は、当てはまるものを○で囲んでください。

3. 問題は「ひらめき力」などのアイコン付きで並んでいます。
苦手な部分を重点的に解くことをおすすめします。

4. 解答・解説はP.166から掲載しています。

5. 制限時間20分、100点満点として解くこともできます。
その際は、巻末の「練習問題解答用紙」をご利用ください。
1問4 ～ 10点で、各問題の点数は問題の右下に記しています。

01

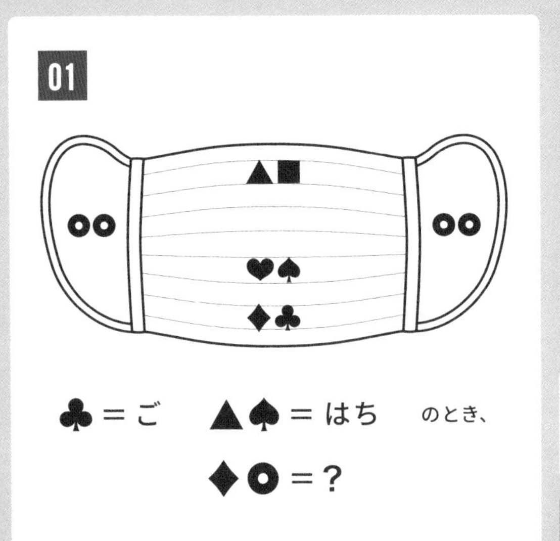

♣＝ご　▲♠＝はち　のとき、

♦⭘＝？

4点

⇒正解　P.167

02

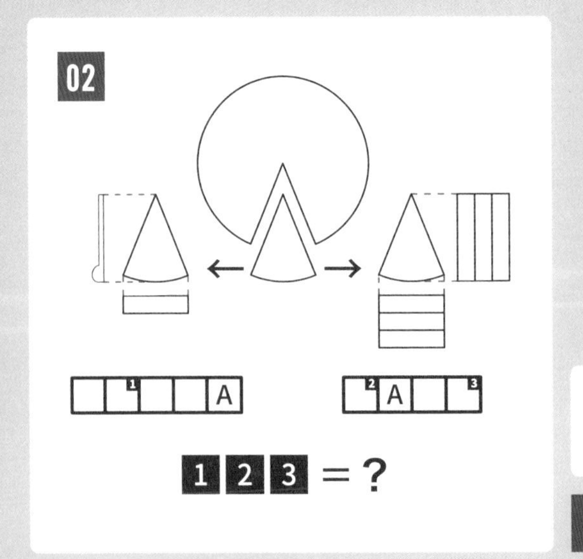

5点

⇒正解　P.167

03

ひおあじちさおひ

ひとあじちがうなら、答えは何？

⇒ 正解　P.168

4点

04

＝根

＝ソリ

＝?

ANALYTICAL

分析力

⇒ 正解　P.168

5点

05

1 − 2,3,4 ＝ ヨ

4 − 2 ＝ フ

のとき、

5 − 1,2,3 ＝ ?

7 − 1,3 ＝ ?

REASONING

推理力

5点

⇒ 正解　P.169

06

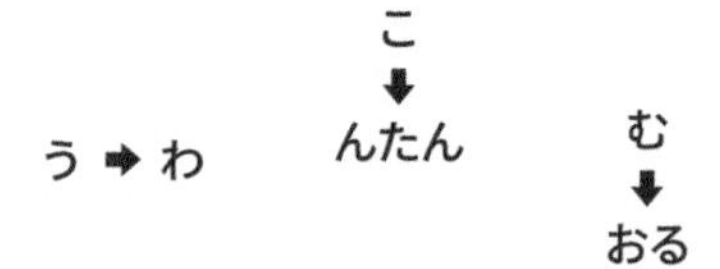

じこぼ
⬆
①

しょ
⬆
ね

ぬす ➡ ②

③
⬆
んだん

各数字にひらがなが
1文字ずつ入るとき、

①②③① ＝ ?

INSPIRATION

ひらめき力

7点

⇒ 正解　P.169

07

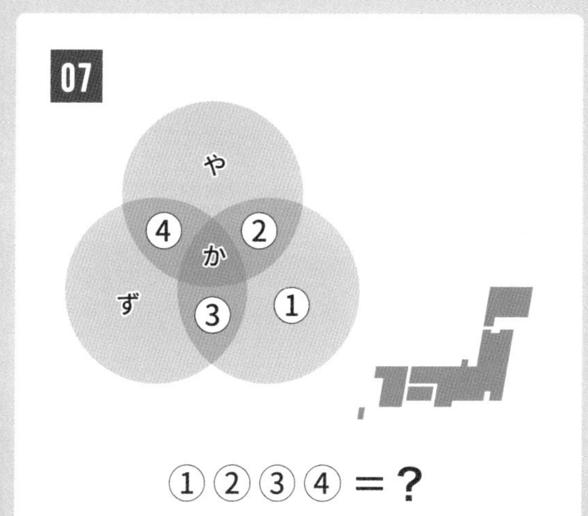

6点

⇒正解　P.170

08

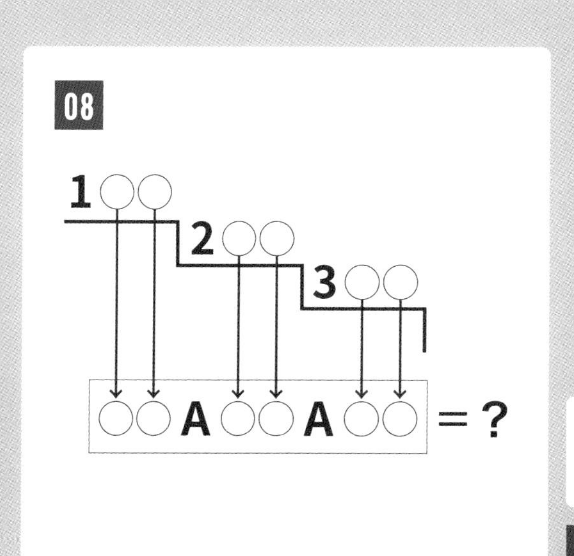

6点

⇒正解　P.170

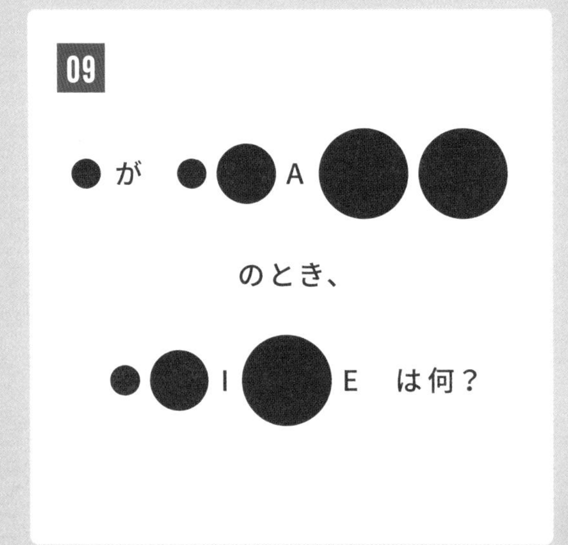

⇒ 正解 P.171

6点

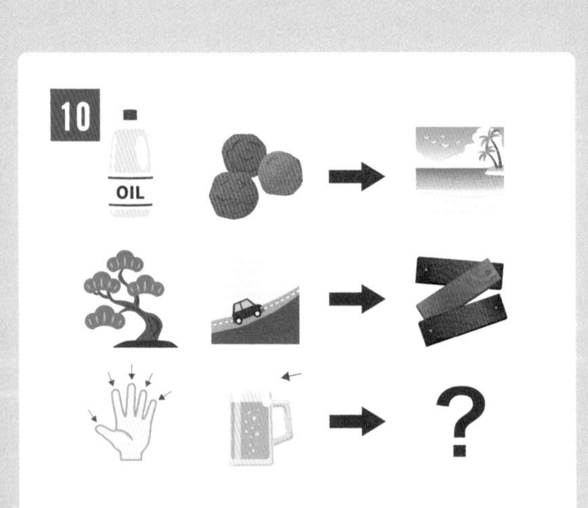

⇒ 正解 P.171

7点

1 2 3 4 ＝？

REASONING

推理力

7点

⇒ 正解 P.172

12

選択肢の中に1つだけある
食べられないものは何？

1 ご　2 じ　3 ま　4 お

ATTENTION

注意力

① ② ③ ④

6点

⇒ 正解 P.172

13

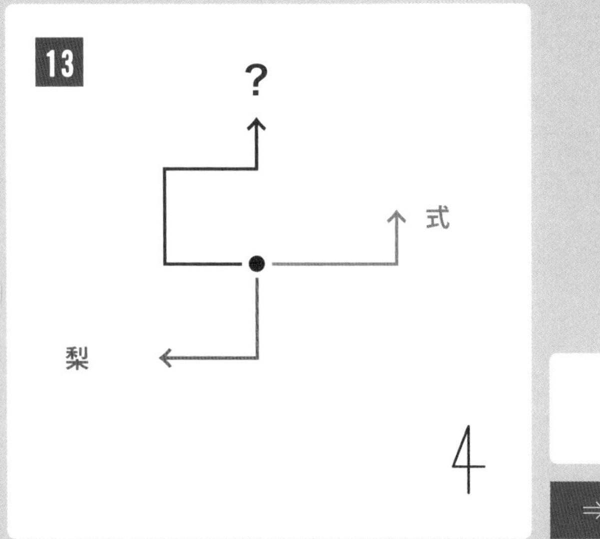

8点

⇒正解 P.173

14

自分の最後の 7 ➡ さんぷん

音程の最後の 16 ➡ にってい

大喜利の最初の 9 ➡ ?

7点

⇒正解 P.173

15

11 ➡ 11 1 C 13

のとき、

12 を5文字で答えよ。

REASONING
推理力

⇒ 正解 P.174

7点

16

	2	1
3	5	

	■	7
4	6	

ENDURANCE

持久力

⇒ 正解 P.174

10点

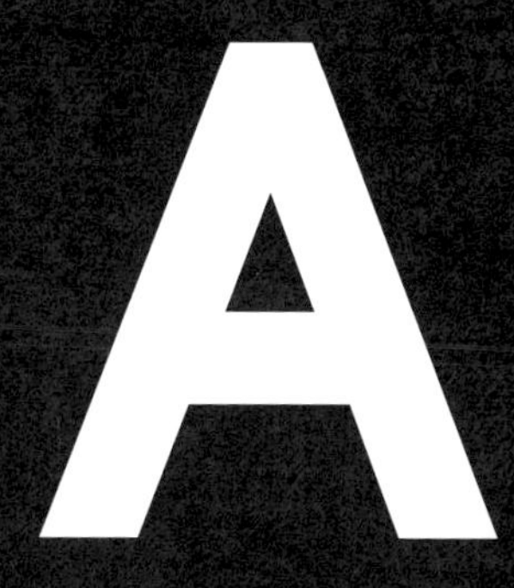

ANSWER

解答・解説編

???

第7回謎検

NAZOKEN

解答・解説

配点は各問題に記した通りです。
点数に応じて、下記の等級を判定します。

等級	点数	等級	点数
1級	100点	4級	50~59点
準1級	90~99点	5級	40~49点
2級	80~89点	6級	30~39点
準2級	70~79点	7級	20~29点
3級	60~69点	8級	0~19点

※正答率は第7回謎検開催時のものです。点数・等級分布などのデータはP. 142に掲載しています。
※正誤と各問題のジャンルを照らし合わせ、得意不得意を見つけてください。

01

ふりたはいき

INSPIRATION

ひらめき力

分析力

「ふりたはいき」に対して、「た」を抜き(たぬき)、「はいき」が「す」(はいきがす)、「ふり」が「な」(ふりがな)と変換します。よって、答えは「なす」。

正解 **なす**

正解率 72.0%

1点

02

この熟語は何？

ABCD＝はちがつここのか

分析力

注意力

ABCDを八月九日の4文字に置き換えて問題にあてはめると、2つの漢字ができます。よって、答えは「究明」。

正解 **究明**

正解率 97.2%

1点

03

対応を直線で結び、
通らなかった文字を上から読め。

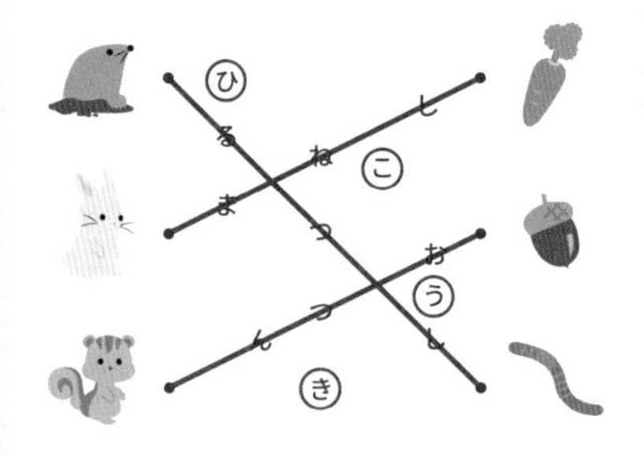

ANALYTICAL　ENDURANCE

分析力　持久力

動物とその動物に対応する食べ物の関係から、もぐらとみみず、うさぎとにんじん、りすとどんぐりをそれぞれ結びます。よって、答えは「ひこうき」。

正解 **ひこうき**

正解率 92.6％

1点

04

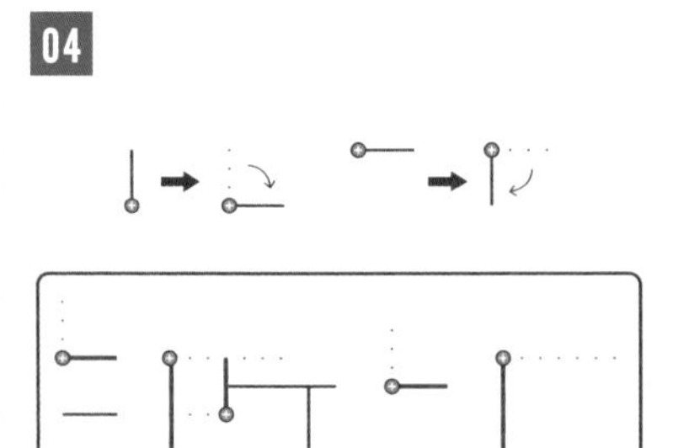

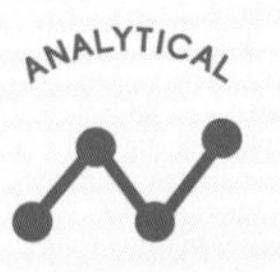

分析力

例で示されたように、時計回りに90度、軸のある棒を回転させると、左図のようにカタカナの形になります。よって、答えは「シケン」。

正解 **シケン**

正解率 77.6％

1点

05

°C → これは●（ど）と読み、
①②●を表すのに使う。
（おんど）

° → これは●（ど）と読み、
③④●を表すのに使う。
（かくど）

①②③゛④＝？
（おんがく）

REASONING

推理力

正しい意味になるように空欄を埋めると、●は「ど」、①②●は「お」「ん」「ど」、③④●は「か」「く」「ど」となります。①②③④に対応する文字を読んで、答えは「おんがく」。

正解 **おんがく**

正解率 **93.0**%

1点

06

上昇中の気球を左から順に読め。
答えは3文字。

ENDURANCE

持久力

火がついている気球を左から読むと「ミドリシタカラ」、緑の気球を下から読むと「ミズタマミギカラ」、水玉模様の気球を右から読むと「ミカン」になります。よって、答えは「ミカン」。

正解 **ミカン**

正解率 **83.3**%

1点

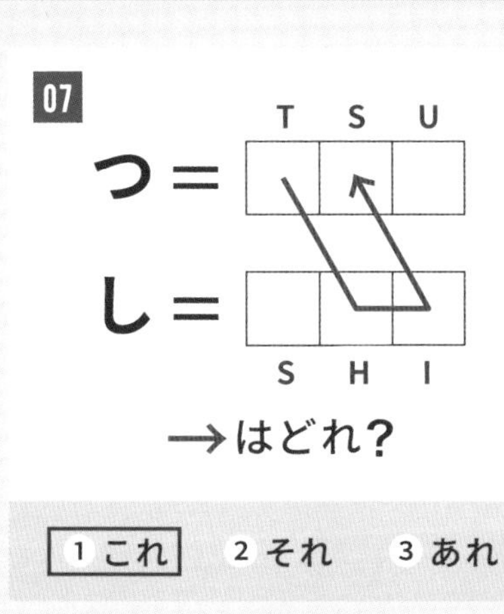

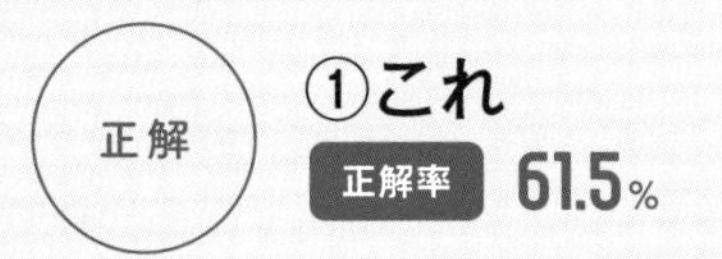

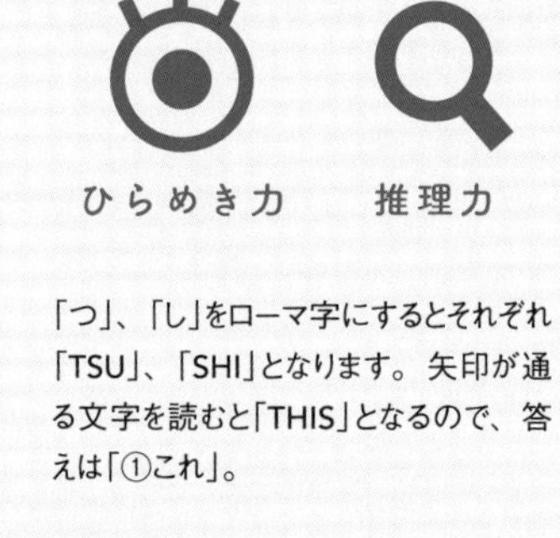

「つ」、「し」をローマ字にするとそれぞれ「TSU」、「SHI」となります。矢印が通る文字を読むと「THIS」となるので、答えは「①これ」。

正解 ①これ

正解率 61.5%

1点

いぬい、？？？（りとる）、さじ、つ、ひま、うみ、つた、うら、とし、うね

文字列は十二支を逆から読んだものになっています。よって、？？？に入る答えは「りとる」。

1点

09

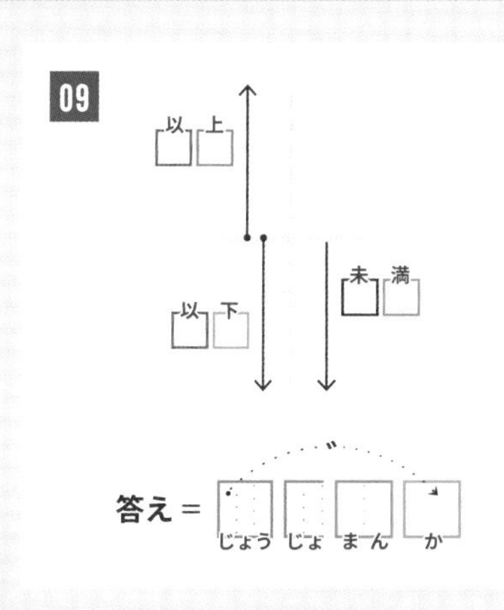

マスに当てはまるのは、左から順に「以上」、「以下」、「未満」となります。これらを答えのマスに対応させ、指示のある読みがなの濁点を移動させて読むと、答えは「しょうじょまんが」。

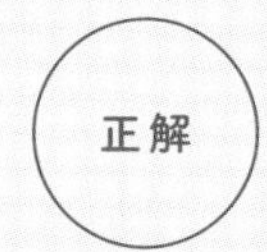

しょうじょまんが

正解率 22.7%

2点

10

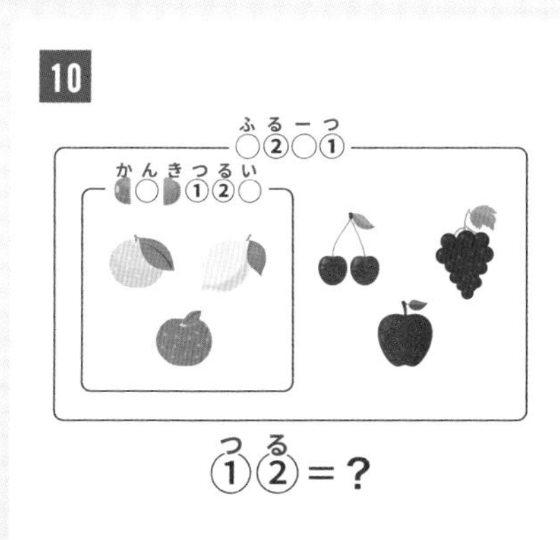

左図のように、すべてのイラストを表す言葉は「フルーツ」、左3つのゆず、レモン、みかんは「かんきつるい（柑橘類）」です。よって、数字に対応する文字を読んで、答えは「つる」。

1点

11

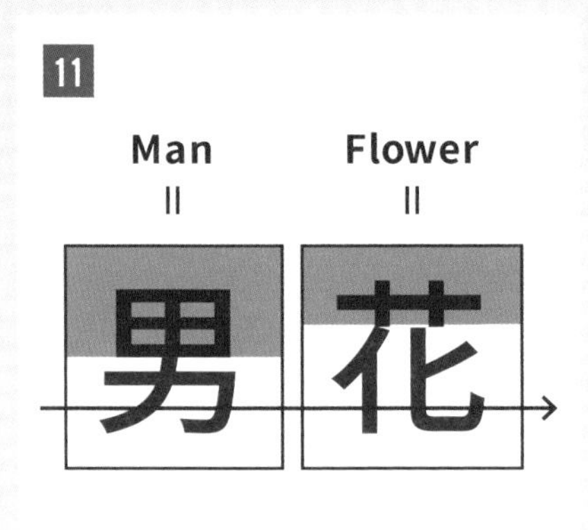

問題の英語を漢字に変換すると、Manは「男」、Flowerは「花」となります。矢印の通っている漢字のパーツだけを読んで、答えは「カイヒ」。

1点

12

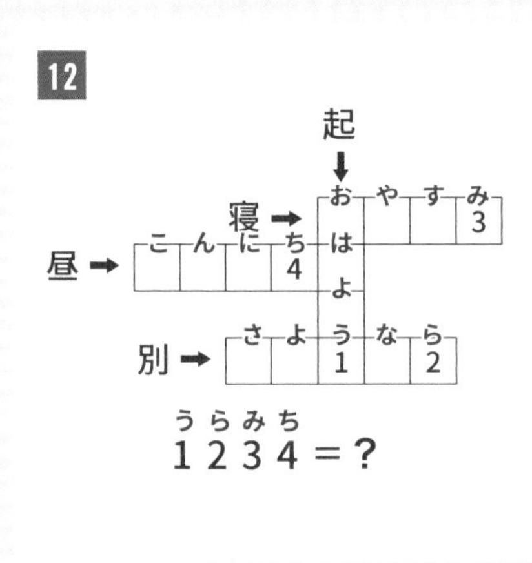

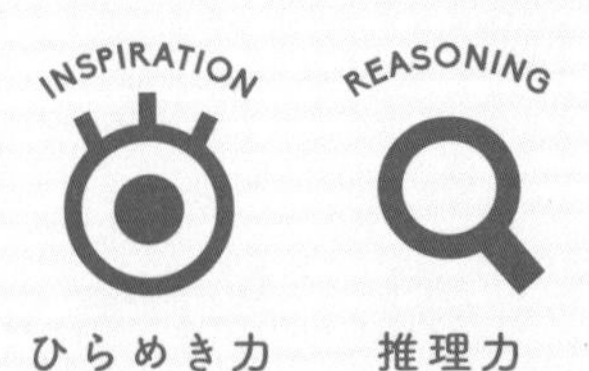

それぞれの漢字に対応するあいさつをマスに入れていきます。すると、「起」→おはよう、「寝」→おやすみ、「昼」→こんにちは、「別」→さようなら、となります。数字に対応するマスを読んで、答えは「うらみち」。

正解
うらみち
正解率 41.7%

2点

13

腰　動
こしをうごかす

脇
ここ = わき

重要
うし = ？

REASONING　ENDURANCE

推理力　持久力

白抜きのひらがなを漢字に変換します。するとひらがなの配置から、「う」は「重」、「し」は「要」となります。よって、答えは「重要」。

正解　**重要**

正解率 94.1%

1点

14

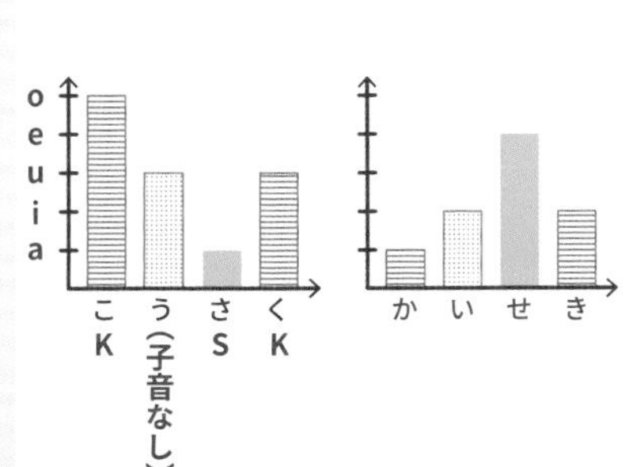

ATTENTION　ANALYTICAL

注意力　分析力

棒グラフの模様が子音の種類、長さが母音（1目盛り=a、2目盛り=i、3目盛り=u、4目盛り=e、5目盛り=o）を表しています。左のグラフの法則を右のグラフに当てはめると、答えは「かいせき」。

正解　**かいせき**

正解率 86.3%

1点

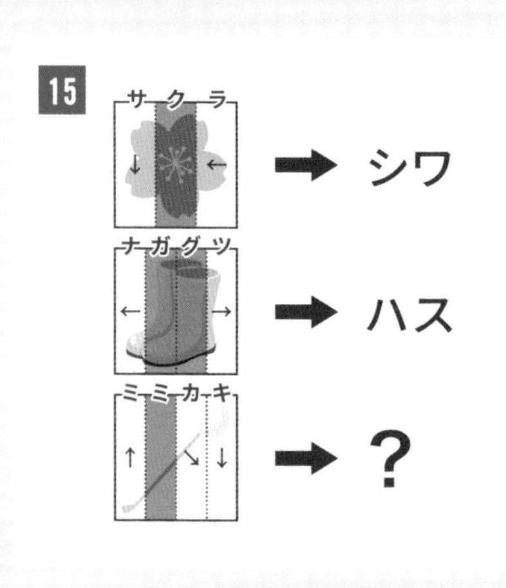

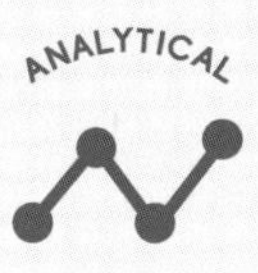

分析力

イラストの名前を問題に当てはめ、矢印の方向に五十音表で1つずらし、暗くなっているマスを飛ばして読む法則になっています。よって、答えは「マイク」。

正解　マイク

正解率　90.5%

1点

16

天　地
7変3異 ➡ 自然界に起こる異変

海水
81浴 ➡ 夏の風物詩

土木
65 ＝ ？

REASONING

ひらめき力　推理力

「自然界に起こる異変」は「天変地異」、「夏の風物詩」は「海水浴」と言い換えることができるので、数字は太陽系の惑星の並び順（水金地火木土天海）と対応しているとわかります。よって、答えは「土木」。

正解　土木

正解率　84.1%

2点

17

??★ ➡ 渡すもの
??っぱり ➡ 性格
しち??べ ➡ 遊び
あ??お ➡ 花
ひ??た ➡ 図形
い??ん ➡ ナンバーワン

??は同じジャンルだが、それぞれ違うものが入る。
★に当てはまるひらがな1文字は？

❶う ❷こ ❸と ❹し

REASONING ENDURANCE
推理力 持久力

??にはそれぞれ違う2文字の都道府県が当てはまり、上から順に「ぎふ」「みえ」「なら」「さが」「しが」「ちば」となります。「ぎふ」から始まる「渡すもの」は「ギフト」になるので、答えは「③と」。

正解 ③と
正解率 90.8%

1点

18

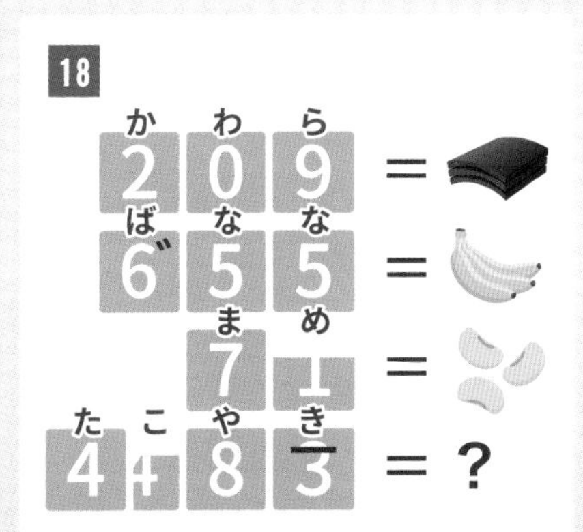

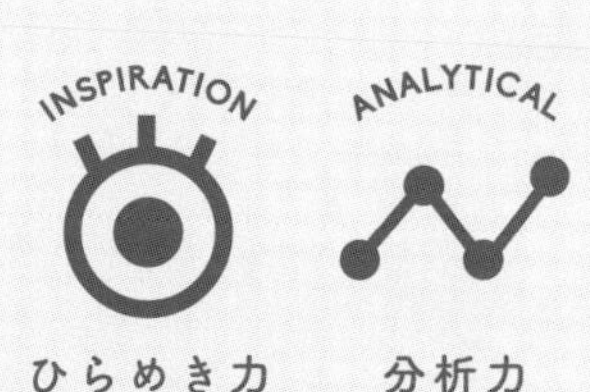

携帯電話の文字盤（数字とひらがな）と対応させ、一部だけの数字は対応するひらがなのその部分だけを読み（1は「あ」なので⊥は「あ」の下半分だけを読み「め」になる）、黒いパーツは対応するひらがなに重ねて読む法則になっています。よって、答えは「たこやき」。

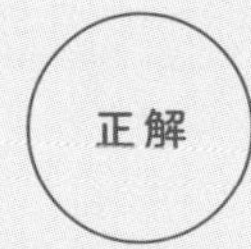

たこやき
正解率 67.1%

2点

19

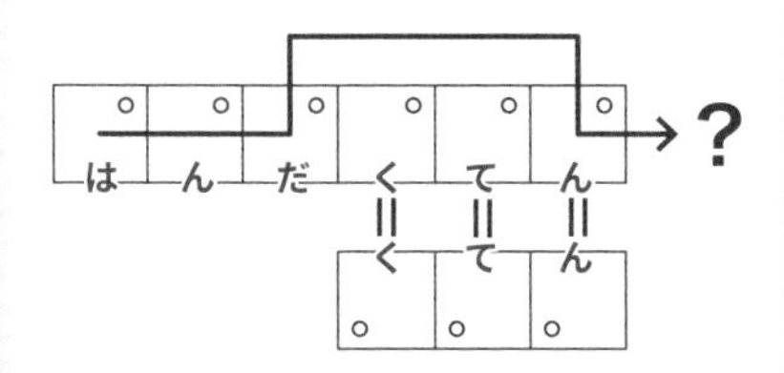

INSPIRATION
ひらめき力

丸の位置と、イコールで結ばれたマスには同じ文字が入るという関係から、上のマスには「はんだくてん（半濁点）」、下のマスには「くてん（句点）」が入るとわかります。矢印の順に文字を読むと、答えは「はんだん」。

正解 **はんだん**

正解率 21.2%

2点

20

ひらがなをくうらんにいれて
しきをかんせいさせろ。

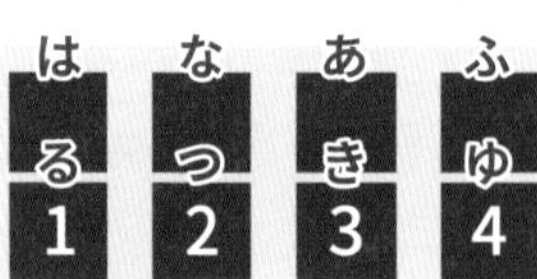

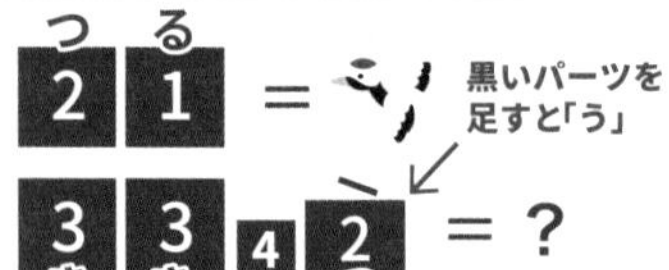

INSPIRATION ANALYTICAL
ひらめき力 分析力

「はる」「なつ」「あき」「ふゆ」の「四季」を完成させ、対応する数字に文字を当てはめます。よって、答えは「ききゅう」。

正解 **ききゅう**

正解率 60.7%

1点

21

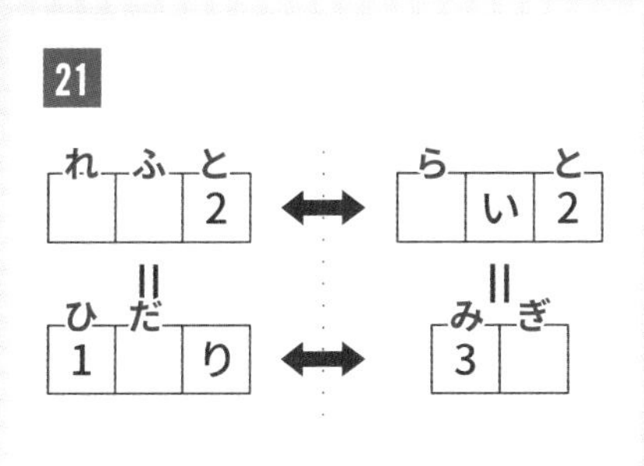

答えは体の一部。

マスには左図のように左右を表す「れふと」⟷「らいと」、「ひだり」⟷「みぎ」が入ります。数字に対応する文字を読んで、答えは「ひとみ」。

2点

22

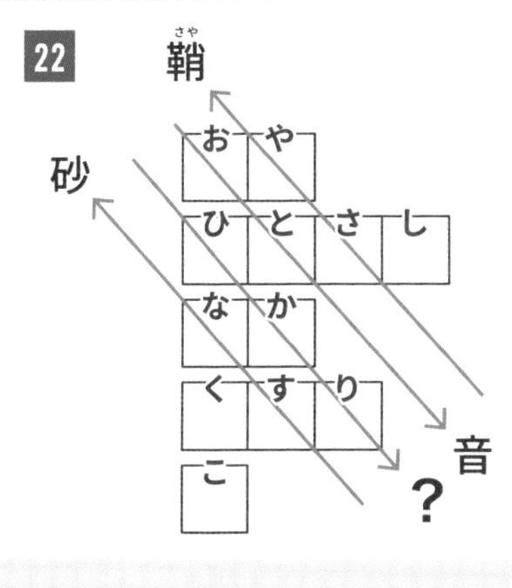

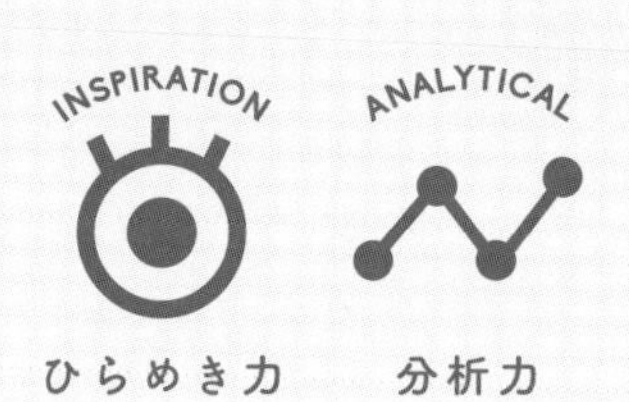

マスには指の名前が入り、上から順に「おや」、「ひとさし」、「なか」、「くすり」、「こ」があてはまります。?の矢印が通る場所を読んで、答えは「光」。

2点

23

「ふね」を空欄にあてはめて、五十音表で船が動いた先の文字を読むと「つめ(爪)」になります。「くるま」も同様に考えると「もやし」になります。この法則を使って「ひこうき」を当てはめて解きます。よって、答えは「ながぐつ」。

正解

ながぐつ

正解率 56.8%

2点

しりかげる
12345 名

お31(かし)の袋内などで
1(し)っ4(け)を取2(り)去5(る)
3(か)ん燥剤の一種。

12345 = ?

問題の文章から伏せ字を推測すると1は「し」、2は「り」、3は「か」、4は「け」、5は「る」となります。よって、答えは「しりかげる(シリカゲル)」。

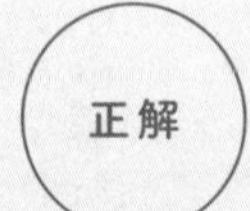

しりかげる(シリカゲル)

正解率 88.1%

2点

25

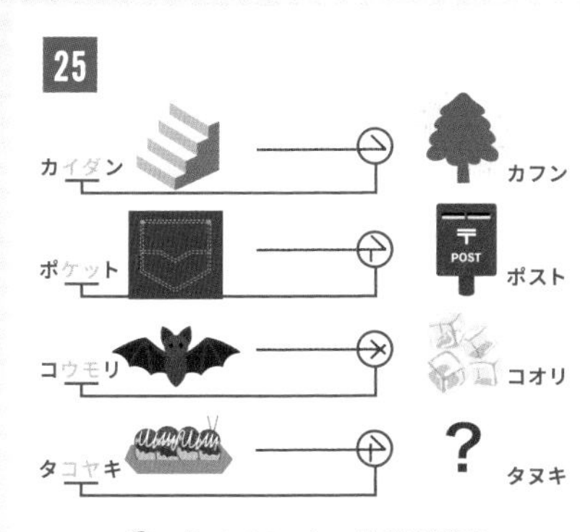

?に入るイラストの言葉が答え。

左のイラストを言葉にすると「カイダン」「ポケット」「コウモリ」「タコヤキ」となります。それぞれ間の2文字を矢印の先のカタカナに変換すると、右のイラストの言葉になります。この法則を使って「タコヤキ」を変換すると、答えは「タヌキ」。

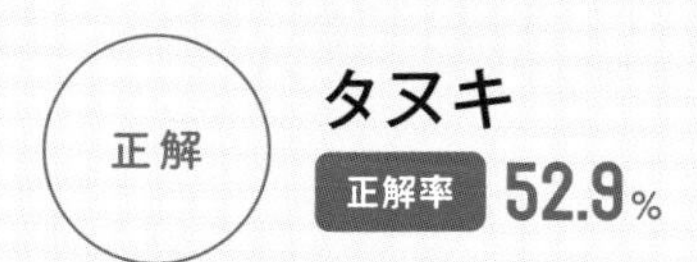

2点

26

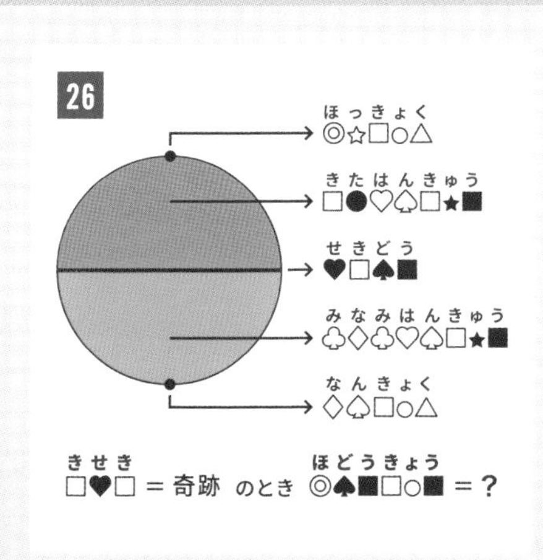

丸い図、□♥□=奇跡であること、同じ記号に同じ文字が当てはまることから判断すると、上から順に「ほっきょく」、「きたはんきゅう」、「せきどう」、「みなみはんきゅう」、「なんきょく」が当てはまるとわかります。記号に対応する文字を読んで、答えは「ほどうきょう」。

ほどうきょう
正解率 86.9%

2点

27

ANSWER以外を消し、上から順に読め。
答えはひらがな4文字。

問題の左端と右端の色が赤と青で、文章を3行7列に分けられるところから英字3文字の曜日の表と対応させられることがわかります。「A」「N」「S」「W」「E」「R」以外の英字に対応する箇所の文字を消すと、「正解はいかさまです」が残ります。よって、答えは「いかさま」。

正解 いかさま
正解率 43.4%

2点

28

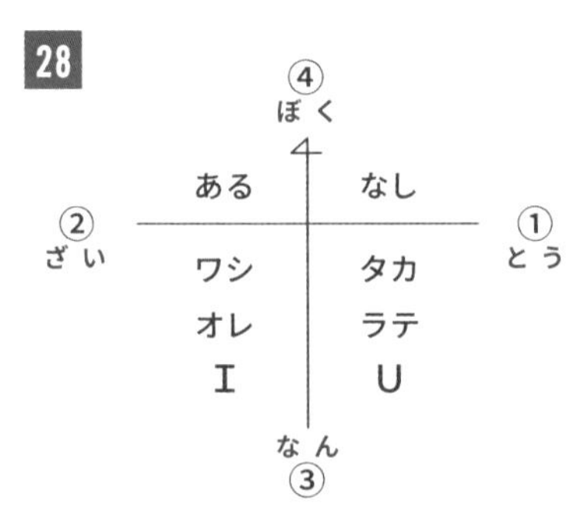

「ある」に入るのは①～④のうちどれ?

方位記号から、①②③④は東西南北を示していること、また、「ある」「なし」の対応表から、「ある」は一人称になっていることがわかります。東西南北の中で一人称になっているのは「ぼく(北)」です。よって、答えは④。

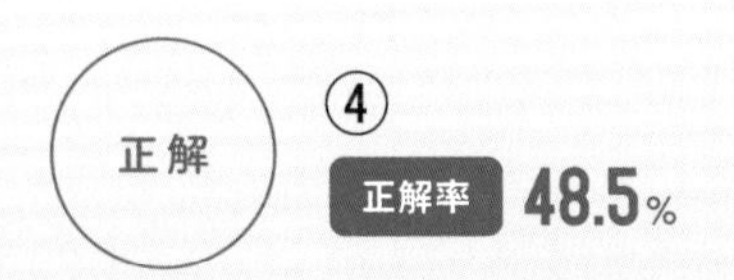

2点

29

E I E N
ス う ス ſι

●の中を読め。
答えは漢字で2文字の言葉。

17
❶う ❷こ ❸と ❹し

ATTENTION
注意力

問題の青丸は17の選択肢に使われています。ひらがなの向きと同じように選択肢の数字を回転させると、数字は「EIEN」の形になります。よって、答えは「永遠」。

正解 **永遠**
正解率 42.5％

3点

30

＝	①（に）	は	③◯◯◯（いこーる）
ー	③◯（いち）	ひ◯（ひく）	②③◯◯（まいなす）
＋	④◯◯（じゅう）	⑤◯（たす）	ぷ◯◯（ぷらす）

①②③④⑤（にまいじた）＝？

同じ記号を漢数字、算数の記号、算数の記号の英語読みで表すと左図のようになります。よって、数字の順に対応する文字を読んで、答えは「にまいじた」。

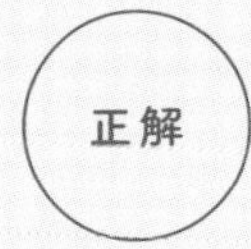

にまいじた
正解率 82.9％

2点

31

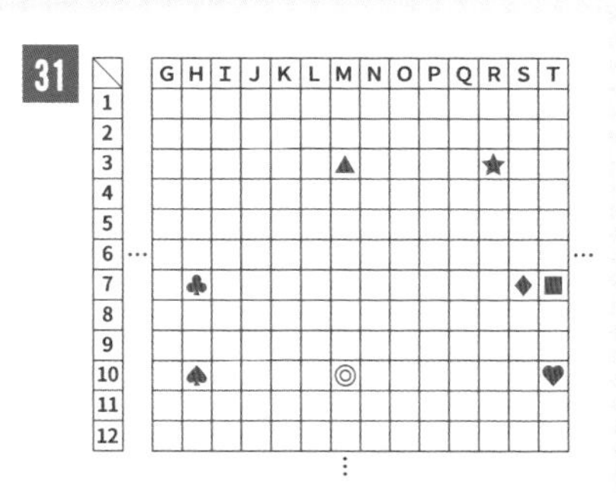

♥の11後が◆、◆の63後が♣、
♥の3つ前が▥、▲の7つ後が◎のとき、
★をひらがな3文字で答えろ。

持久力

問題文の記号をそれぞれ対応する座標で置き換えると、「T10の11後がS7」、「S7の63後 がH7」、「T10の3つ前がT7」、「M3の7つ後がM10」となり、英字＋数字は元号表記の年号だとわかります。よって、R3は「令和3年」となり、ひらがな3文字で表すと、答えは「ことし」。

正解　ことし

正解率　4.4%

※P9に記載されているように、「第7回謎検」は2021年（令和3年）に開催された。

3点

32

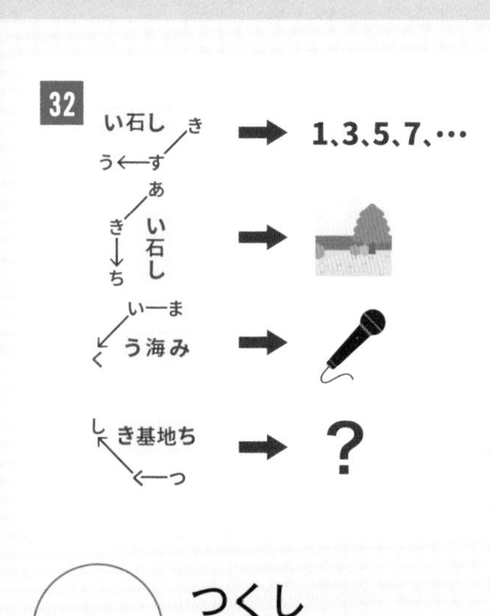

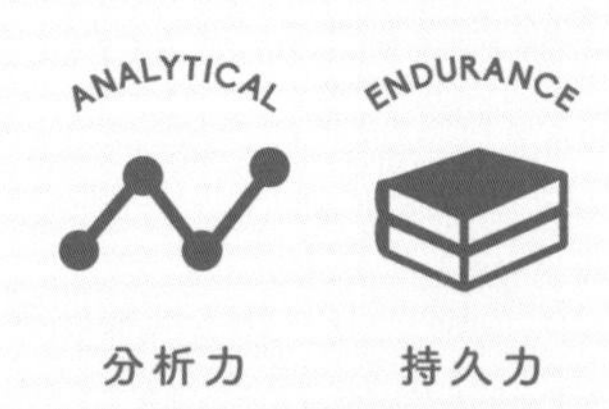

漢字をひらがなに直し、枠にあてはめます。五十音表で「し」の右＋「し」の下＋「い」の下を見ると「きすう」、「い」の上＋「い」の左＋「し」の左を見ると「あきち」になります。同様に、「ち」の下＋「き」の下＋「き」の左の文字を見ると、答えは「つくし」。

正解　つくし

正解率　59.5%

2点

33

がんじつ ＝ こどものひ ＝ 1

（みどりのひ）①◯◯◯◯ ＝ 1.25

（けんぽうきねんび）◯②◯◯◯◯◯◯ ＝ 1.66…

（ぶんかのひ）◯◯③◯◯ ＝ 3.66…

REASONING
推理力

元日は1/1、こどもの日は5/5で、これを分数として計算すると1になります。1.25（5/4）、1.66…（5/3）、3.66…（11/3）はそれぞれ「みどりの日（5/4）」、「憲法記念日（5/3）」、「文化の日（11/3）」だとわかります。よって、数字に対応する文字を読んで、答えは「みんか」。

正解 **みんか**

正解率 62.6％

2点

34

持久力

クロスワードが成立するように、同じ記号に同じ文字を当てはめると、左図のようになります。●▲■に対応する文字を読んで、答えは「クスリ」。

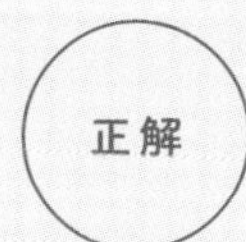

クスリ

正解率 63.4％

3点

35

このもんだいのこたえはなに
⓪①②③④⑤①⓪④⑥⑦⑧⑨？

⑨（に） ← 2
⓪（ご） ← 5
⑧⑧（なな） ← 7
⑥⑤⓪（えいご） ← one, two, three,…
⑧⑤③（ないん） ← 9
⑦③④⑤（はんたい） ← 9876543210
⓪④⑥（こたえ） ＝ ⑨②①（にもの）

答えは3文字の料理名。

REASONING ENDURANCE

推理力 持久力

同じ丸囲み数字に同じ文字が当てはまるように、矢印の右の数字の読み方を考えると、左図のようになります。すると、⓪④⑥は「こたえ」、一番上の文は「このもんだいのこたえはなに?」となるので、⑨②①に対応する文字当てはめると、答えは「にもの」。

正解 **にもの**

正解率 71.1%

2点

36

T E N　S I X T E E N
6＋○△□＝♤♡♧○△△□

N S　E　I S　N E X T
A□♤W△R ♡♤ □△♧○

カタカナ4文字で答えろ。

注意力 分析力

下に「ANSWER」が入ると推測し、記号と文字の対応を考えます。同じ記号には同じ文字が入るので、上はSIX+TEN=SIXTEENが成立します。下は「ANSWER IS NEXT」となります。よって、答えは「ネクスト」。

正解 **ネクスト**

正解率 69.2%

2点

37

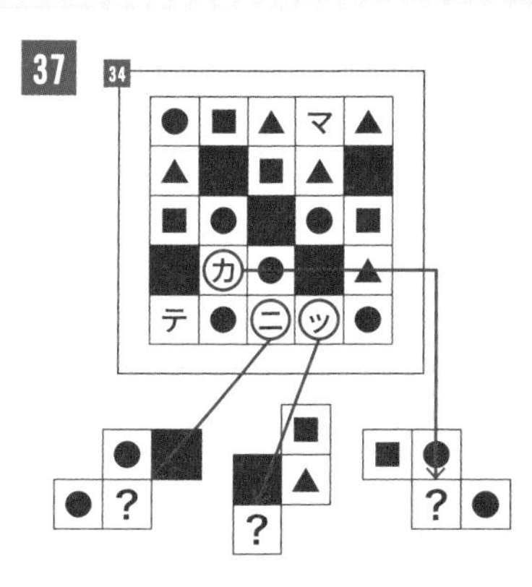

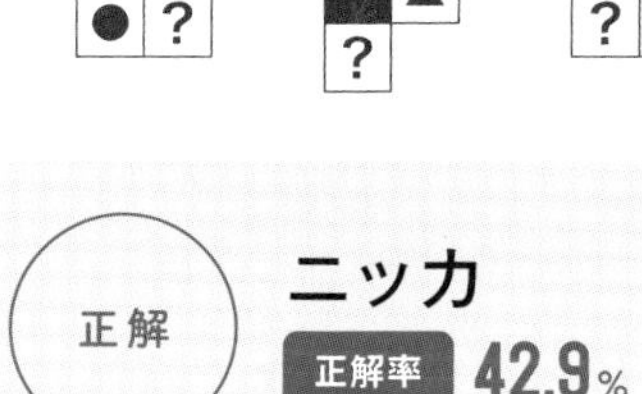

34問目の盤面を参照して、黒マスや記号が同じ並びになっている箇所を探します。よって、答えは「ニッカ」。

正解　**ニッカ**

正解率　**42.9%**

2点

38

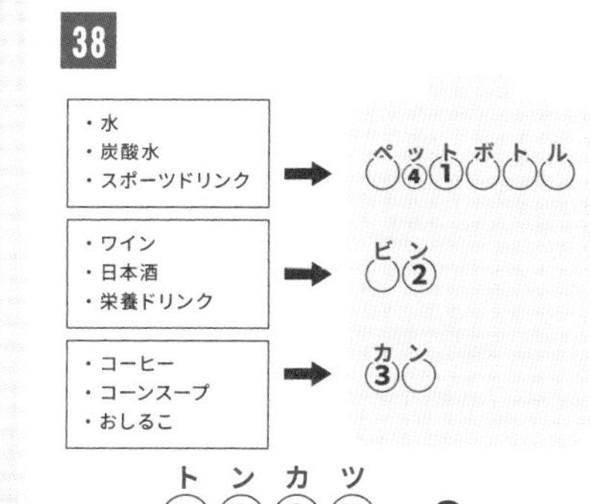

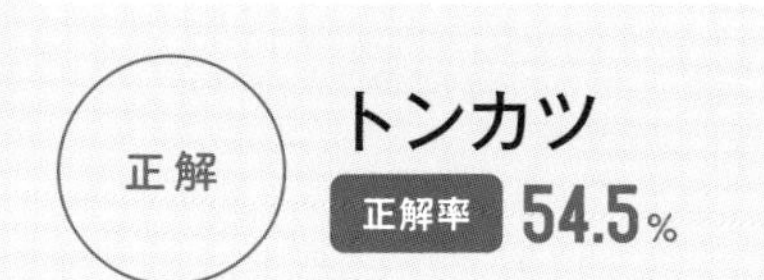

問題を見ると、空欄にはそれぞれの飲み物が入っている容器の名前が入ることがわかります。数字に対応する文字を読むと、答えは「トンカツ」。

正解　**トンカツ**

正解率　**54.5%**

2点

39

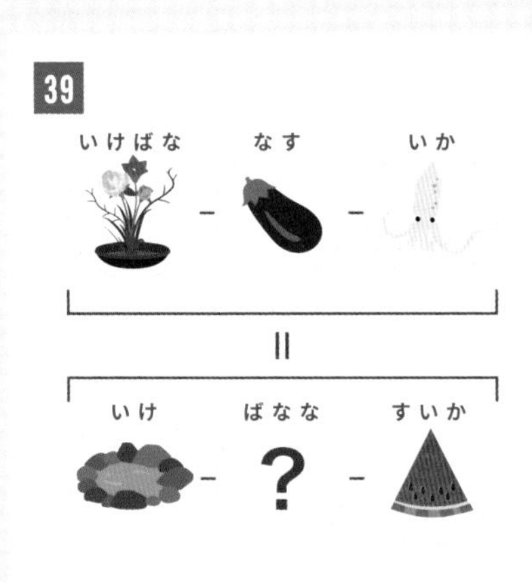

上下ともに同じ文字列になるようにイラストを言葉に置き換えると、左図のようになります。よって、答えは「ばなな」。

正解 ばなな
正解率 63.5%

2点

40

たてものが さ
あしが8ほ く
なにもない ら
んあるむし も
とちのこと ち

答えは5文字の食べ物。

ひらめき力 持久力

問題は2つの単語の説明文が交互に並んでいます。並べ替えて単語を導き出すと、青文字は「たてものがなにもないとちのこと」=「さらち(更地)」、赤文字は「あしが8ほんあるむし」=「くも(蜘蛛)」となります。「さらち」と「くも」を問題文と同じように交互に並べると、答えは「さくらもち」。

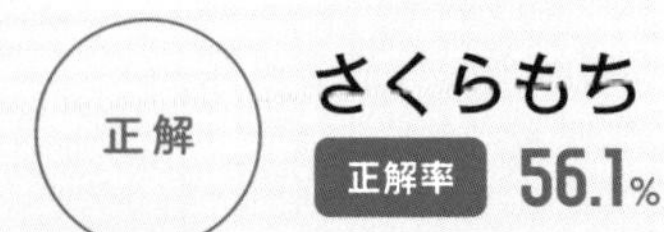

2点

41

$$\frac{2}{21} = \frac{6}{21} = \frac{10}{21} = う$$

$$\frac{4}{21} = \frac{17}{21} = と$$

$$\frac{19}{21} = \frac{21}{21} = い$$

$$\frac{8}{21} = \frac{13}{21} = つ$$

さ　ら　み

$$\frac{15}{21}\ \frac{5}{21}\ \frac{9}{21} = ?$$

分母の21は十二支をひらがなで書いた「ねうしとらうたつみうまひつじさるとりいぬい」の文字数を、分子はその文字列の中で何文字目かを表しています。該当する箇所を読んで、答えは「さらみ」。

正解　**さらみ**

正解率　23.3％

3点

42

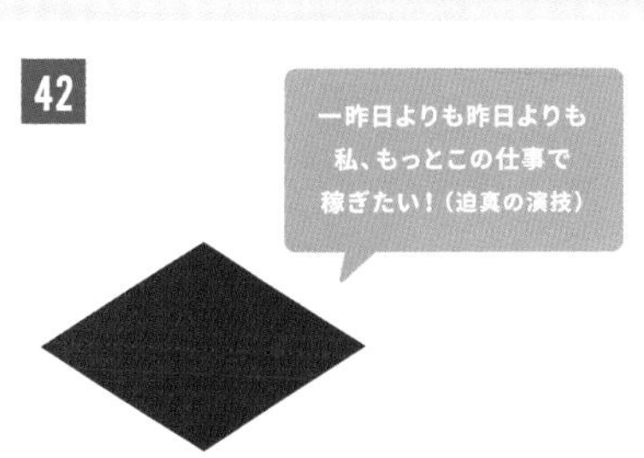

③①③①（ひにひに）増えていく
③②（ひし）形の③②（ビジ）ネスへの思いが
③②③②（ひしひし）と伝わってくるとき、
①②③（にしび）を漢字2文字で答えろ。

ANALYTICAL　ENDURANCE
分析力　持久力

図形とセリフを見て文章の穴埋めをすると、①は「に」、②は「し」、③は「ひ」だとわかります。よって、答えは「西日」。

正解　**西日**

正解率　70.6％

2点

43

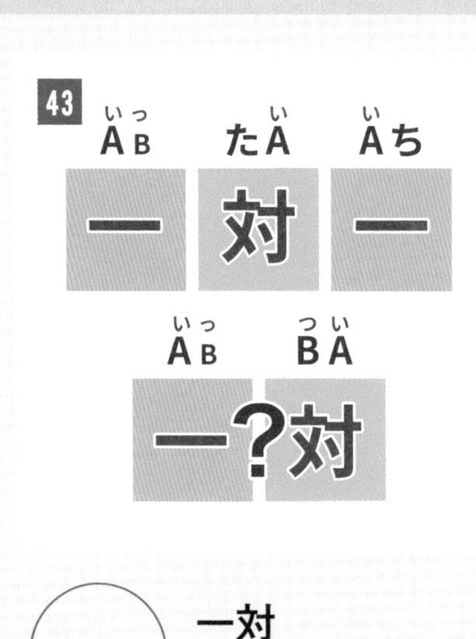

マスには漢字が入り、その上の文字がよみがなだと推測して、よみがなが合うようにA、Bのひらがなとマスの漢字を考えると、Aは「い」、Bは「つ」、オレンジのマスは「一」、緑のマスは「対」だとわかります。よって、答えは「一対」。

正解 一対
正解率 11.8%

2点

44

イラストを言葉に変換すると、上から順に「ツクシ」、「エース」、「オシボリ」、「ツクエ」となります。マスの文字数とマス同士をつないでいる線の先同士が同じ文字になるように、言葉を当てはめます。すると2文字のマスが埋まっていないことがわかるので、答えは「リス」。

正解 リス
正解率 69.1%

2点

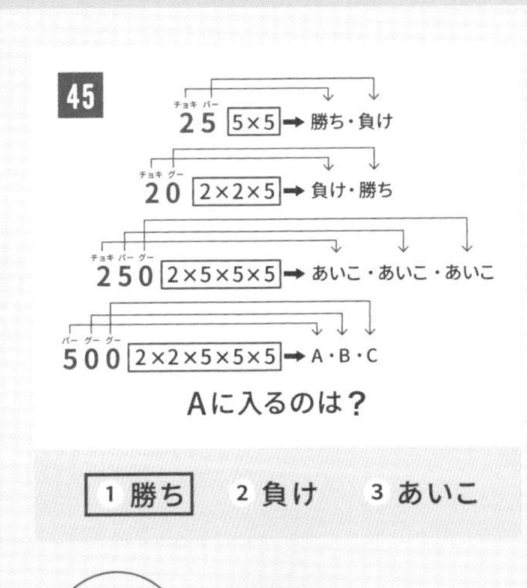

矢印の左側を計算し、答えの数字の並びをじゃんけんの手として解釈すると、「5×5=25→チョキ、パーで勝ち・負け」、「2×2×5=20→チョキ、グーで負け・勝ち」、「2×5×5×5=250→3人のじゃんけんであいこ」となります。「2×2×5×5×5=500→3人のじゃんけんで勝ち・負け・負け」となるので、答えは「①勝ち」。

正解
①勝ち
正解率 34.9%

2点

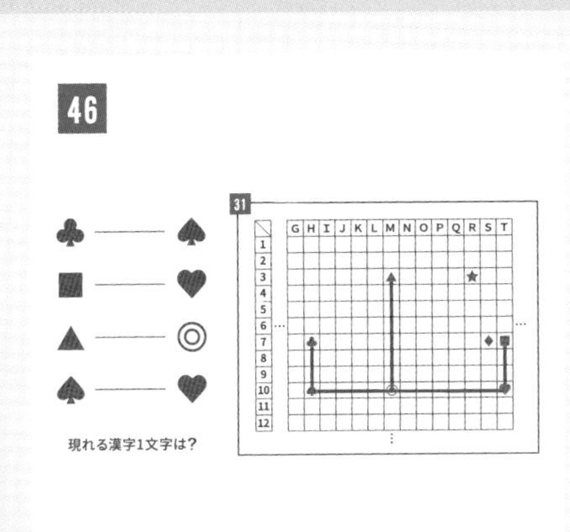

31問目の盤面上で指示通りに記号の間に線を引くと「山」という文字が現れます。よって、答えは「山」。

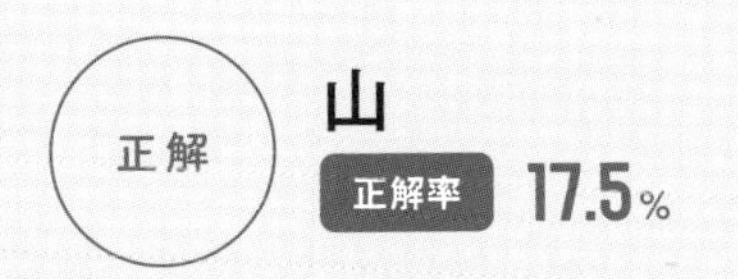

3点

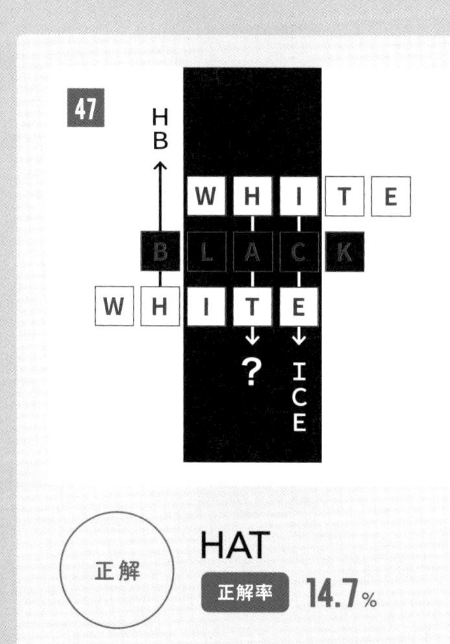

例の「HB」「ICE」を頼りに、マスに入る言葉を考えると、見えていないマスがあり、白のマスに「WHITE」、黒のマスに「BLACK」があてはまることがわかります。?の矢印を通る文字を読んで、答えは「HAT」。

正解 HAT
正解率 14.7%

3点

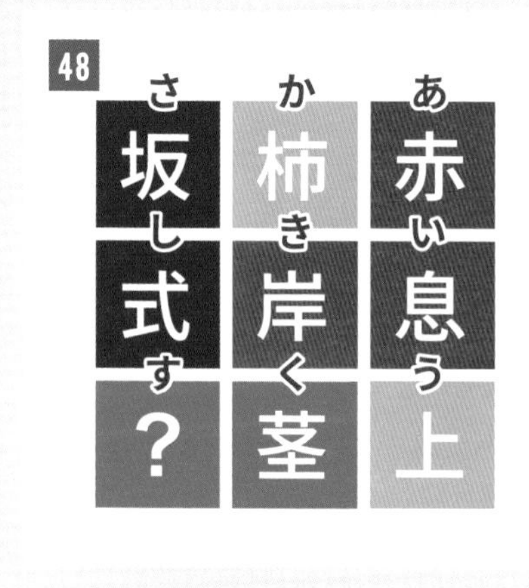

各漢字の頭文字が、五十音表の配置になっています。赤枠は「さらにその枠の左の文字」を2文字目に足していることがわかります(あ＋か[「あ」の左の「か」を2文字目に足す]＝赤、い＋き＝息、き＋し＝岸)。同様に、黄色は下、黒は右、青は上の文字を足しています。よって、?に入る答えは「すし」。

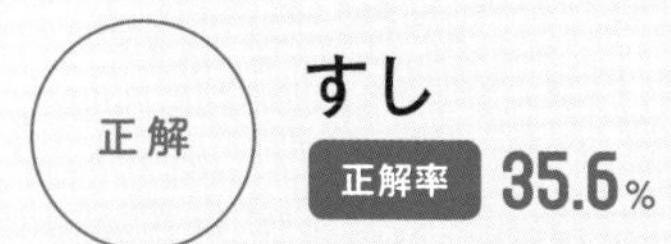

正解 すし
正解率 35.6%

4点

49

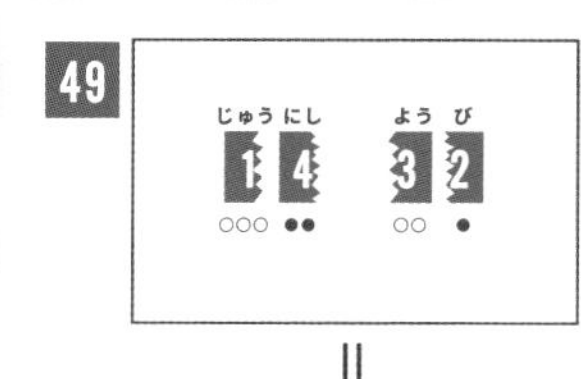

||

うらみち シリカゲル にまいじた
12 24 30
36 43
ネクスト イッツイ
もうひとつ

下の四角に入るべき
6文字の食べ物は？

ATTENTION ENDURANCE

注意力 持久力

13の答えが「じゅうよう」、42は「にしび」なので、上の四角は問題番号が半分ずつ組み合わさって「じゅうにし」「ようび」と読めます。下の四角には十二支をの21文字(ね、うし、とら…)と、同じく曜日の12文字(げつ、か、すい…)を合わせた33文字が入ると考えられます。12、24、30、36、43の答えと枠の中にある「もうひとつ」を、十二支と曜日の33文字から消していくと、下の四角に入るべき言葉が導かれます。よって、答えは「さぬきうどん」。 5点

正解 **さぬきうどん**

正解率 7.3%

50

10から始まるループが「つきみ」、
03から始まるループが「ひなまつり」のとき、
もう1つのループを読め。
答えは行事名。

25 01 39 18

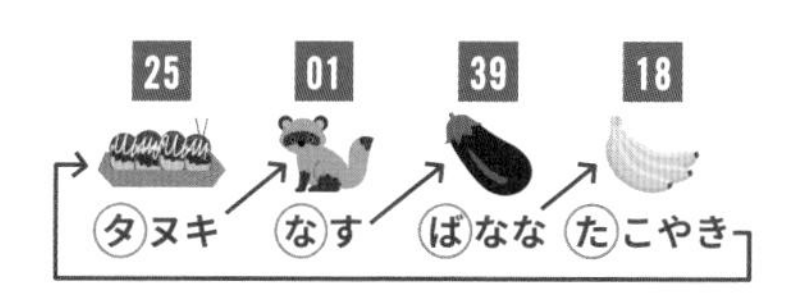

ATTENTION ENDURANCE

注意力 持久力

イラストがある問題の答えは、必ずどこかの問題にイラストで存在します。10の答えは「つる」なので、これをもとに探していくと20にあることがわかります。それを繰り返すと10→20→06とループし、答えの頭文字を読むと「つきみ」になります。同様に03から始まるループは03→23→15→32→44で「ひなまつり」となります。もう一つのループは25→01→39→18で左図のようになります。よって、答えは「たなばた」。

5点

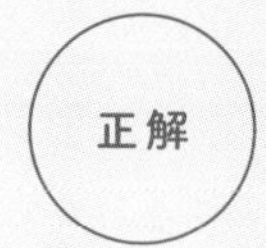

正解 **たなばた**

正解率 6.9%

NAZOKEN

第7回謎検 結果

? 開催日時　2021年5月28日～31日

? 受検者総数　5,166人

? 全国平均点　49点

? 満点者数　50人

? 等級分布

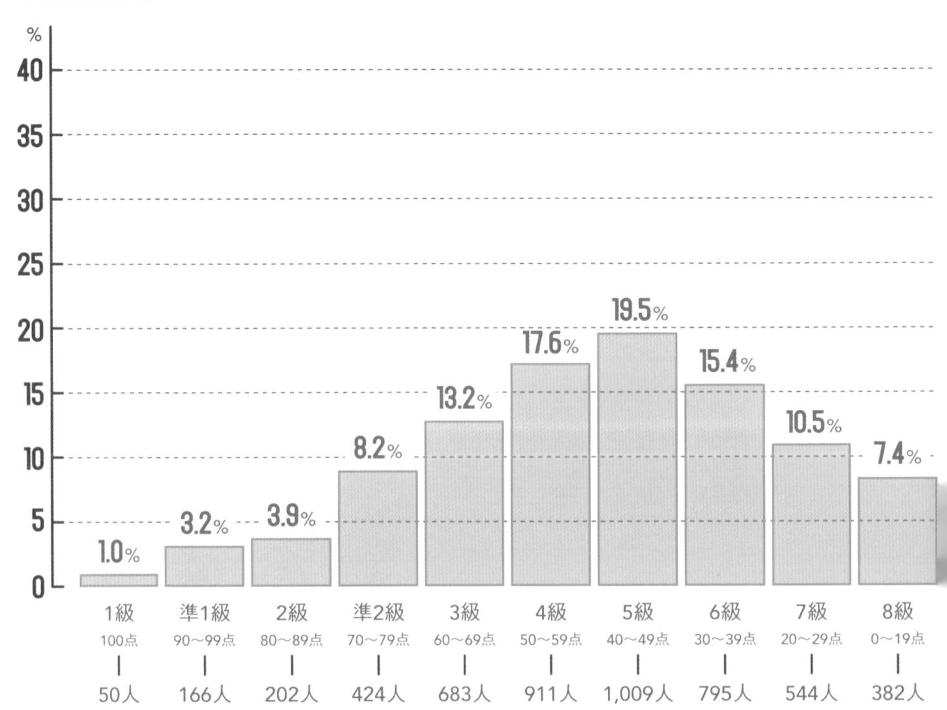

※パーセント表示は小数点以下第1位まで表示しているため、合計が100%にならない可能性があります。

? 各項目の平均点

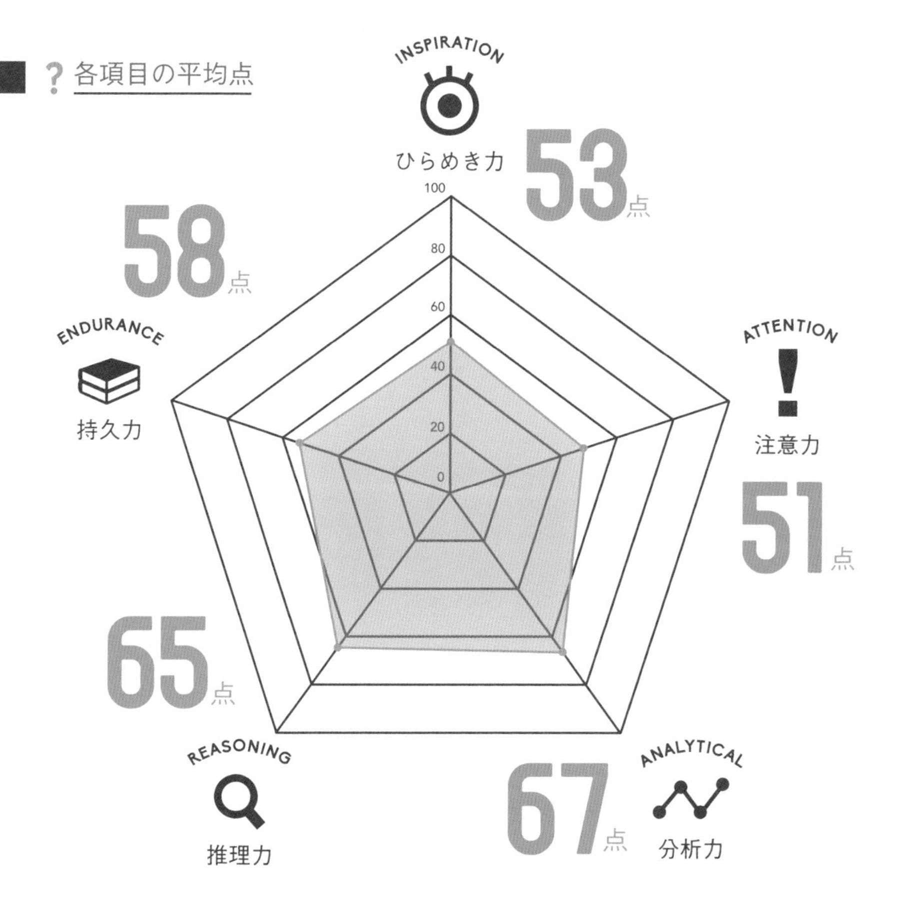

? 上位ランキング

順位	人数	点数	所要時間	級
1	1	100	36分50秒	1級
2	1	100	37分12秒	1級
3	1	100	37分56秒	1級
4	1	100	39分22秒	1級
5	1	100	41分52秒	1級
6	1	100	41分54秒	1級
7	1	100	42分43秒	1級
8	1	100	45分36秒	1級
9	1	100	46分47秒	1級
10	1	100	47分4秒	1級

順位	人数	点数	所要時間	級
11	1	100	47分42秒	1級
12	1	100	48分7秒	1級
13	1	100	48分9秒	1級
14	1	100	48分34秒	1級
15	1	100	48分38秒	1級
16	1	100	49分9秒	1級
17	1	100	49分58秒	1級
18	1	100	50分2秒	1級
19	1	100	50分9秒	1級
20	1	100	50分53 秒	1級

???

謎検模試

01

NAZOKEN

解答・解説

配点は各問題に記した通りです。
点数に応じて、下記の等級を判定します。

等級	点数	等級	点数
1級	100点	4級	50~59点
準1級	90~98点	5級	40~49点
2級	80~89点	6級	30~39点
準2級	70~79点	7級	20~29点
3級	60~69点	8級	0~19点

※正誤と各問題のジャンルを照らし合わせ、得意不得意を見つけてください。

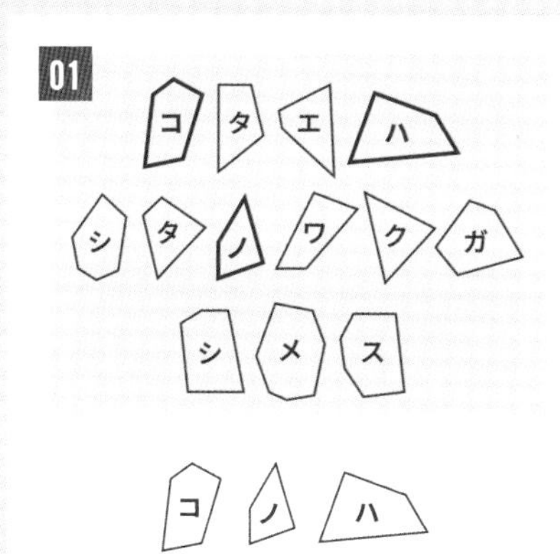

ANALYTICAL

分析力

下の3つの図形を、上に描いてある図形から探します。それらに書いてある文字を順に読んで、答えは「コノハ」。

正解　コノハ

2点

02

あか・・・いろ
いき
⋮ ⋮
まち
みつ・・・あまい
⋮ ⋮

さてい
しとう ＝ ？

REASONING

推理力

・・・の左側の文字に対して、五十音表で上、または下に書かれている文字を考えると、・・・の右側の言葉に当てはまることがわかります。よって、答えは五十音表で「さてい」の下の文字である「しとう」。

正解　しとう

2点

03

こたえのやさいは
かけています

ATTENTION
!
注意力

問題文をよく見ると「こ」「た」「の」「け」の文字が欠けています。よって、これらを並べ替えると、答えは「たけのこ」。

正解　たけのこ

3点

04

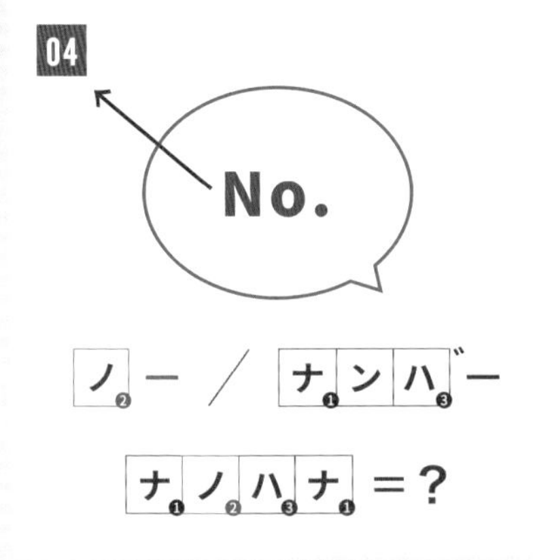

紫の「No.」を青と赤の2通りの読み方で考えます。青マスは青い吹き出しの中に「No.」と書かれているので「ノー」となります。赤マスは赤い矢印が問題番号を指しているので「ナンバー」と読めます。数字に対応している文字を読むと、答えは「ナノハナ」。

正解　ナノハナ

4点

05

持久力

マス目に合うようにイラストを表す言葉を埋めていくと左図のようになります。よって、数字に対応している文字を読むと、答えは「ふんすい」。

正解　**ふんすい**

3点

06

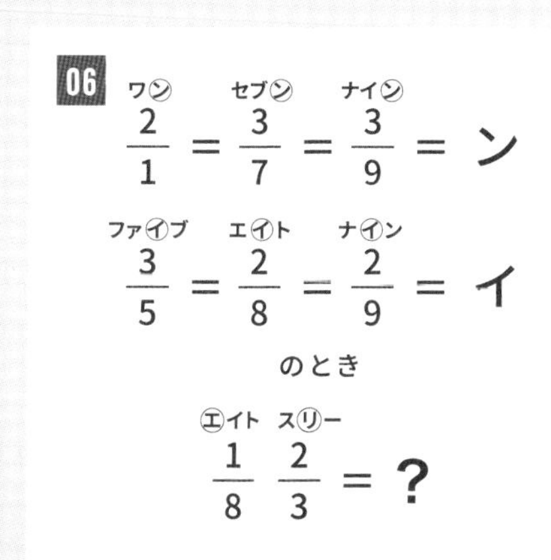

推理力

2つの例から、分母の数字を英語のカタカナ表記にしたときに、分子の数字がその何文字目かを示していることがわかります。8(エイト)の1文字目は「エ」、3(スリー)の2文字目は「リ」です。よって、答えは「エリ」。

正解　**エリ**

3点

ちょうど3時間後を見ろ

時計の針をそれぞれ3時間進めると左図のようになります。そのときの針の形をカタカナとして読んで、答えは「リズム」。

正解　リズム

4点

08

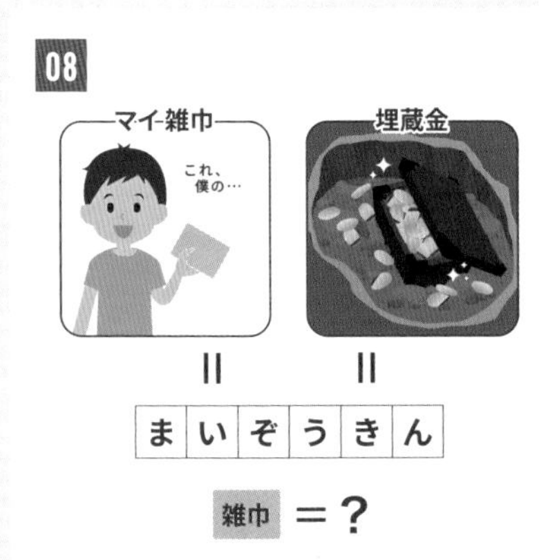

2つのイラストに共通する言葉を考えると、左のイラストは「マイ雑巾」、右のイラストは「埋蔵金」を表していることがわかります。灰色の四角が表すものを考えると、答えは「雑巾（ぞうきん）」。

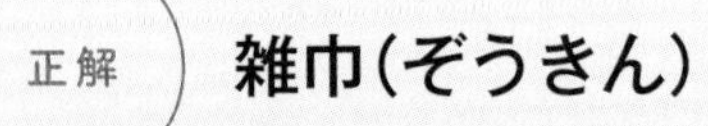

正解　雑巾（ぞうきん）

2点

09

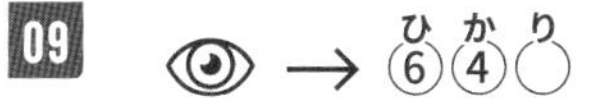

→ ④⑤○（かおり）

→ ⑤③（おと）

→ ①②（あじ）

⑥②（ひじ）＝肘　④⑤（かお）＝顔

①②③（あじと）＝？

推理力

「肘（ひじ）」「顔（かお）」の例と、同じ数字に同じ文字が入ることから考えると、空欄には上から「ひかり」「かおり」「おと」「あじ」と、それぞれのパーツが感じるものが入ることがわかります。数字に対応する文字を読んで、答えは「あじと」。

正解　**あじと**

5点

10

①②③④⑤④（ときょうそう）

徒競走

同じ柄の四角には同じパーツが入る

①④②③④（とうきょう）＝？

ひらめき力

同じ柄の四角に同じパーツを入れて④が2回使われるよみがなが成り立つ単語は「徒競走」です。数字に対応する文字を読んで、答えは「とうきょう」。

正解　**とうきょう**

6点

11

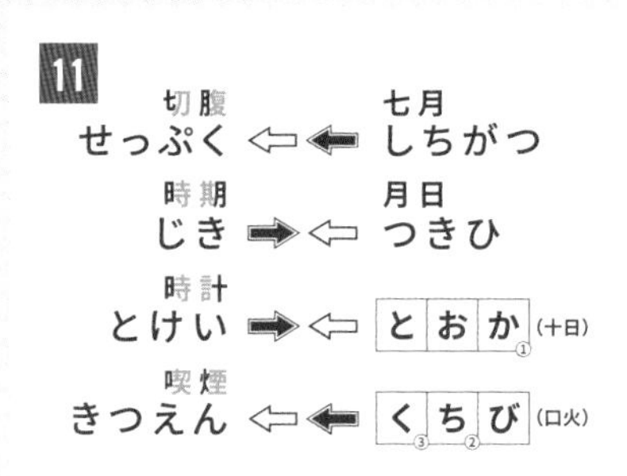

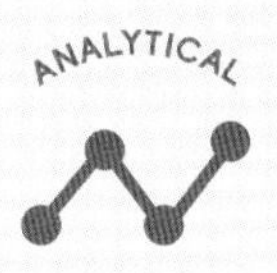

それぞれを漢字に直してみると、⇨は左側の1文字目の矢印の向きの漢字のパーツを拾う、➡は左側の2文字目の矢印の向きの漢字のパーツを拾うという法則がわかります。これを踏まえると、空欄は上から順に「十日(とおか)」、「口火(くちび)」となります。数字に対応する文字を読んで、答えは「かちく」。

正解　かちく

4点

12

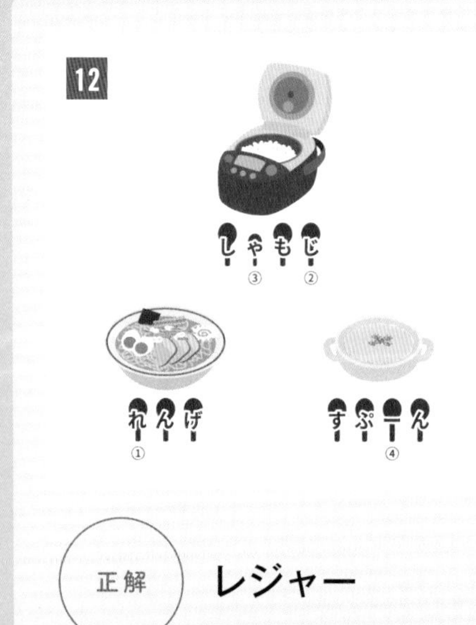

イラストを見ると、「ラーメン」、「炊飯器」、「スープ」の下に食器が描かれています。食器の名前は、ラーメンは「レンゲ」、炊飯器は「しゃもじ」、スープは「スプーン」が当てはまることがわかります。数字に対応する文字を読んで、答えは「レジャー」。

正解　レジャー

5点

13

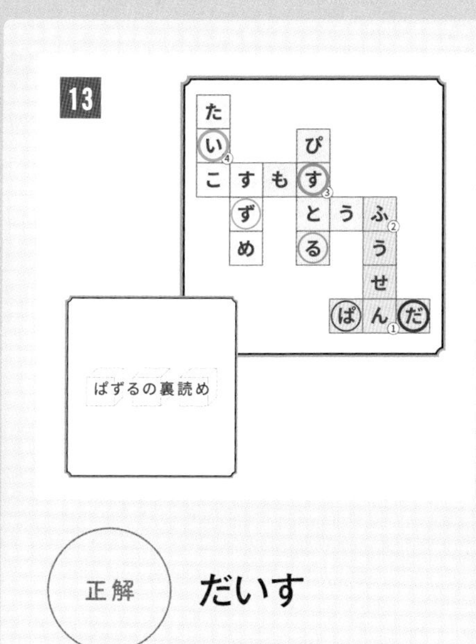

枠が05と同じことから、05の盤面を使うと推測します。05の盤面は、3つのサイコロの展開図をつなげたものになっています。それぞれのサイコロの「ぱ」と「ず」と「る」の裏側に来る言葉は、それぞれ「だ」と「い」と「す」です。よって、答えは「だいす」。

正解 **だいす**

6点

14

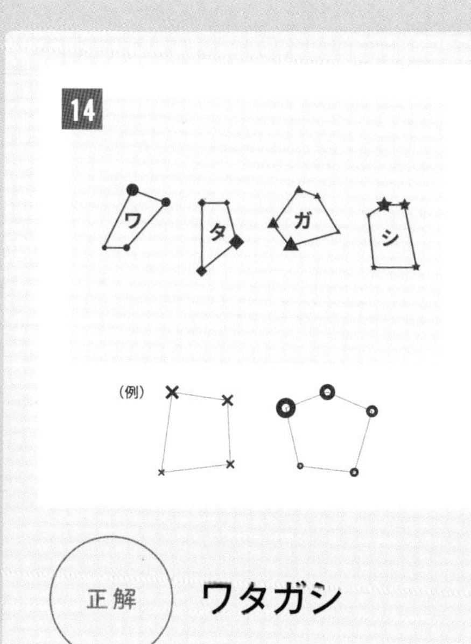

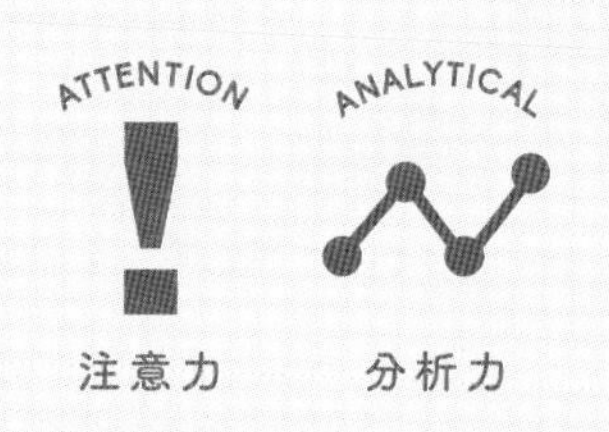

例を参考に、同じ図形を大きさ順に線で結び一周させます。そして、背景が01と同じことから、できた図形と同じものを01から探し、書いてある文字を順に読んで、答えは「ワタガシ」。

正解 **ワタガシ**

5点

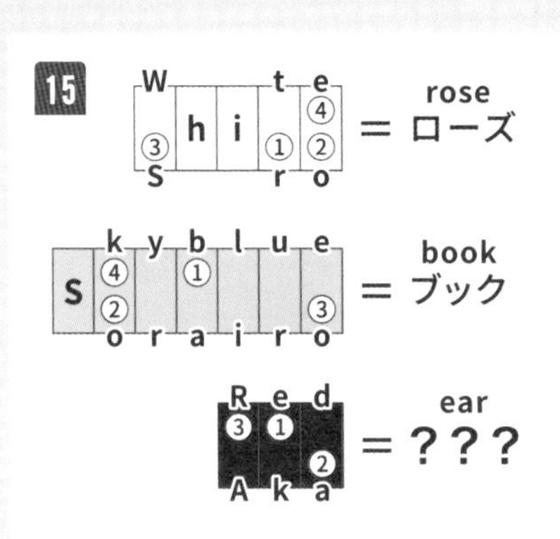

答えはカタカナ3文字

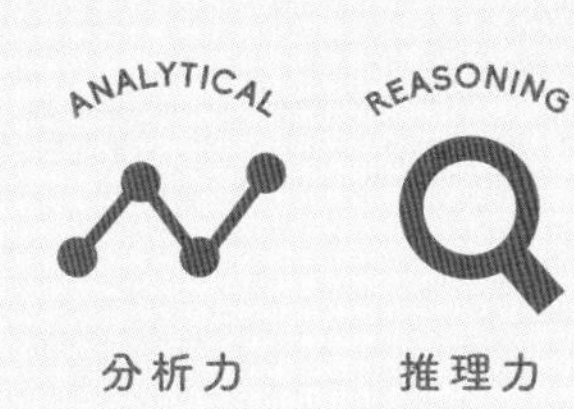

正解 イヤー(イアー)

マス目の色を英語、日本語のローマ字の2通りで示します。白いマスには「White」「Shiro」、水色のマスには「Skybule」「Sorairo」、赤いマスには「Red」「Aka」を入れ、それぞれ数字に対応する文字を読むと、右に書かれた言葉になる法則だとわかります。カタカナ3文字の指定があるので、答えは「イヤー(イアー)」。

6点

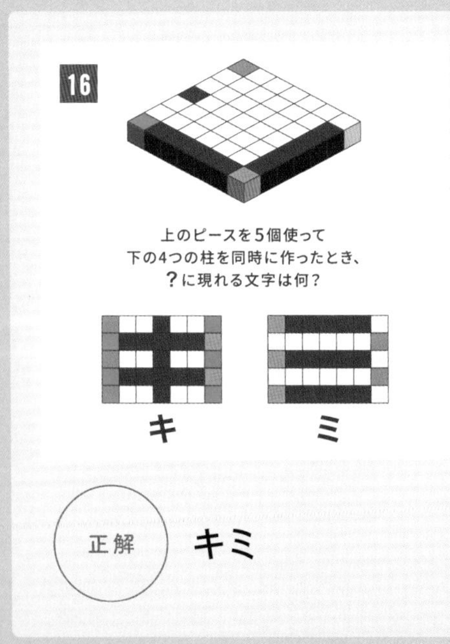

ピースを5個使い、4つの柱ができるように組み上げると、黒い部分がそれぞれ「キ」と「ミ」の形になります。よって、答えは「キミ」。

正解 キミ

6点

17

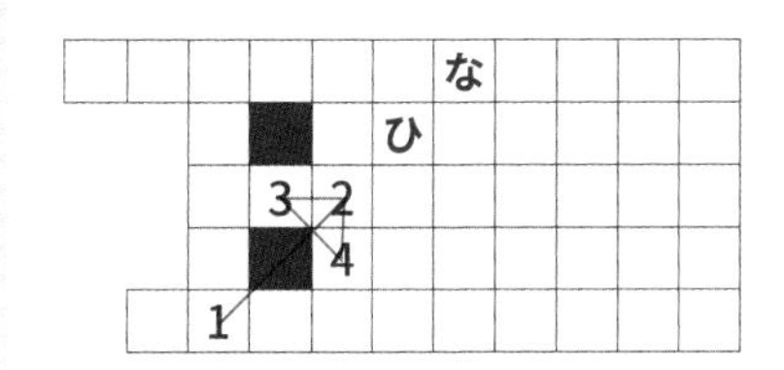

1－2－3－4－2

答えは2文字

ANALYTICAL

分析力

1-2-3-4-2を順につなぐと矢印ができます。表は五十音表なので、矢印の先の文字読んで、答えは「ひな」。

正解 ひな

7点

18

   ＝ 数字

05の答え ふんすい　02の答え しとう　09の答え あじと

 ＝ ？

07の答え リズム　15の答え イヤー　07の答え リズム

ATTENTION

注意力

問題の図形はそれぞれ02、05、07、09、15の問題番号の枠に対応しています。上の05、02、09の答えを見てみると、図形の中にある数字が、各問題の答えの何文字目かを表していることがわかります。よって、07、15、07の答えの2、3、3文字目を読んで、答えは「ズーム」。

正解 ズーム

8点

19

すべての白マスを一度ずつ縦横に通り、
SからGまで進め
ただし、数字の小さいものから順に通ること
また、奇数の書かれたマスを通るとき、
その次の数字が書かれたマスにワープすること

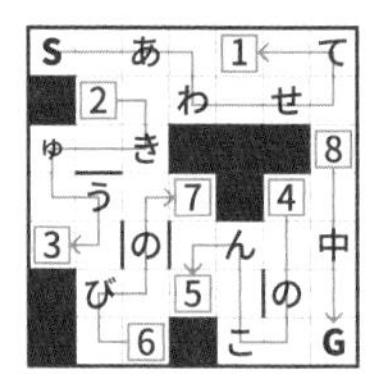

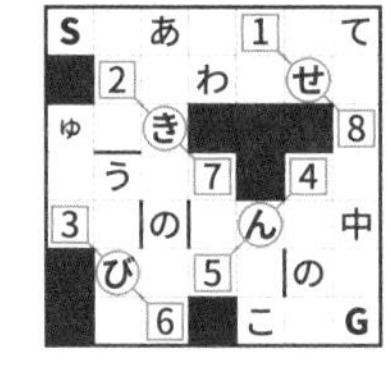

SからGまでに通った数字以外の文字を読め
その後、指示された場所を、
一番近い黒いマスが「下」「上」「左」「右」にある文字の順に読め

指示通りに進むと左図のようになります。通ったマスの数字以外の文字を読むと「あわせてきゅうのこんびの中」となります。足して9になる1と8、2と7、3と6、4と5の間のマスを、一番近い黒いマスが「下」「上」「左」「右」にある順に読んで、答えは「せんびき」。

正解　**せんびき**

9点

20

これまでの答えの頭を入れて
それぞれで取れる分だけ進め

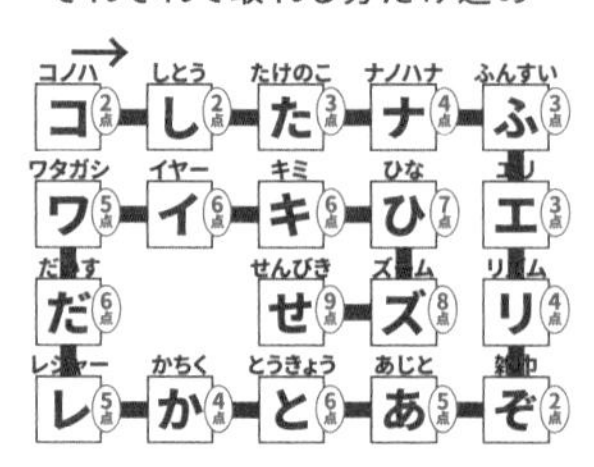

04から始めたとき ➡ なぞとき
07から始めたとき ➡ りかい
01から始めたとき ➡ ？

これまでの19問の答えをマスに順番に入れると、左図のようになります。指定された問題番号に対応するマスからスタートしたとき、各問題の配点分マスを進めると矢印の右の言葉になるという法則です。よって、01の「コ」からスタートすると、答えは「こたえあわせ」。

正解　**こたえあわせ**

10点

???

謎検模試

02

NAZOKEN

解答・解説

配点は各問題に記した通りです。
点数に応じて、下記の等級を判定します。

等級	点数	等級	点数
1級	100点	4級	50~59点
準1級	90~96点	5級	40~49点
2級	80~89点	6級	30~39点
準2級	70~79点	7級	20~29点
3級	60~69点	8級	0~19点

※正誤と各問題のジャンルを照らし合わせ、得意不得意を見つけてください。

01

このの(な)けんぞの(な)けんぞの
状態が表している
都道府県っての(な)けん〜んだ？

答えはひらがの(な)けん5文字

ひらめき力

正しい意味になるように問題文を考えると、「な」が「のけん」に変わっていることがわかります。正しい問題文は「このなぞなぞの状態が表している都道府県ってな〜んだ?」となります。「な」が「のけん」になっているので、答えは「ながのけん」。

正解　ながのけん

4点

02

KITA

答えは
KATAKANA

NISHI　HIGASHI

MINAMI

①ままごと　②カタカナ　③とらんく　④さかさま

ANALYTICAL　ENDURANCE

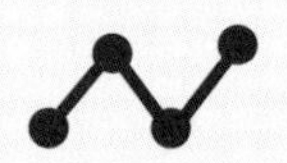

分析力　持久力

同じ模様には同じ文字が入り、Iはアルファベットの「I」を表していると考えます。図のように上下左右に書かれていることから、方位が当てはまると推測すると、上は「KITA」、下は「MINAMI」、左は「NISHI」、右は「HIGASHI」が当てはまるとわかります。よって、答えは「②カタカナ」。

正解　②カタカナ

4点

03

1 2 3 4 5 6 7
イロハニホヘト

1壬 1代
2 4 2 4 ＝賃貸＝ちんたい
3 3

のとき

辶6/5 十2 一7 車2 ＝？
途 中 下 車

「ちんたい」を漢字にして、数字とパーツの関係を探ると、1234にはイロハニが対応するとわかります。このことから、567にホヘトが対応すると考えて、下の数字にあてはめると、答えは「途中下車」。

正解 途中下車

4点

04

$\overset{Y}{13}+\overset{E}{3}+\overset{S}{10}$ ＝ イエス

$\overset{C}{2}+\overset{O}{8}+\overset{M}{7}+\overset{I}{5}+\overset{C}{2}$ ＝ コミック

$\overset{Q}{9}+\overset{U}{11}+\overset{I}{5}+\overset{C}{2}+\overset{K}{6}$ ＝ クイック

$\overset{G}{4}+\overset{A}{1}+\overset{M}{7}+\overset{E}{3}$ ＝ ？

①タヌキ　②ゲーム　③スター　④ライム

左辺の数字の数は、右辺の単語をアルファベットにしたときの文字数と同じです。ここでアルファベットを数字に対応させると、数字はアルファベット順の奇数番目のものだけの順番を表していることがわかります（A=1、C=2、E=3、G=4…）。よって、4+1+7+3は「GAME」なので、答えは「②ゲーム」。

正解 ②ゲーム

5点

05

①き　②ど　③あい　④らく

きらく
①④＝気楽

きどき
と①②①＝時々

あい
③さつ＝？

2行目より①に「き」、②に「ど」が、1行目より④に「らく」が入るとわかります。①は「き（喜）」、②は「ど（怒）」、④は「らく（楽）」であることから、③には「あい（哀）」が入ると考えらます。よって、答えは「あいさつ」。

正解　あいさつ

4点

06

上から順に
頭に「バックアップ」をつけても言葉になるように
？に入る単語を選べ

B　茄子　（ビーナス）
A　巣　（エース）
C　チキン　（シーチキン）
K　木　（ケーキ）
U　？　（ユーターン）
P　ナッツ　（ピーナッツ）

①ターン　②テーマ　③マシンガン　④ガーベラ

「バックアップ」をアルファベット表記すると「BACKUP」になります。これをそれぞれ1文字ずつ6つの単語の前につけると「ビーナス」「エース」「シーチキン」「ケーキ」「ユーターン」「ピーナッツ」になります。よって、答えは「①ターン」。

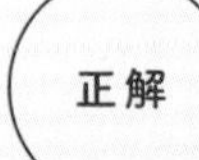

①ターン

4点

07

Y ANA(穴) G I ➡ 植物 やなぎ

W ANA(穴) G E ➡ 遊び わなげ

のとき

H ANA(穴) U R ANA(穴) I ＝ ? はなうらない

INSPIRATION　ATTENTION

ひらめき力　注意力

問題には穴が開いている箇所があります。穴をローマ字に直し、問題にあてはめると「YANAGI→植物」、「WANAGE→遊び」と、左右の言葉が対応します。よって、答えは「はなうらない（HANAURANAI）」。

正解　**はなうらない**

4点

08 水色の枠に入る食べ物が答え

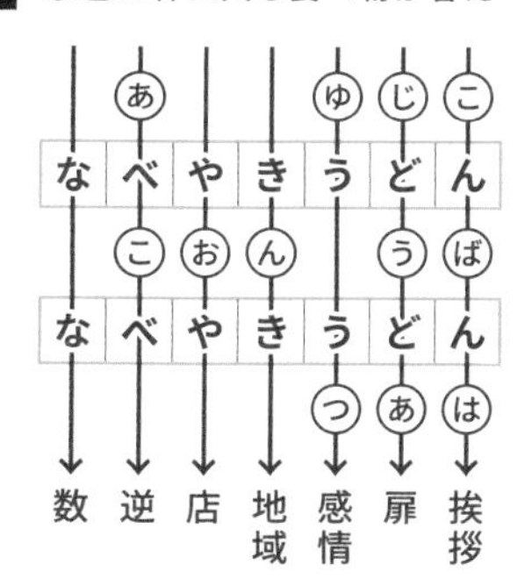

水色の枠には上下とも同じ文字が入ると考え、矢印の先の言葉に当てはまるような文字を考えると、左から順に「なな」「あべこべ」「やおや」「きんき」「ゆううつ」「じどうどあ」「こんばんは」とわかります。水色の枠に入る文字を読んで、答えは「なべやきうどん」。

正解　**なべやきうどん**

4点

09

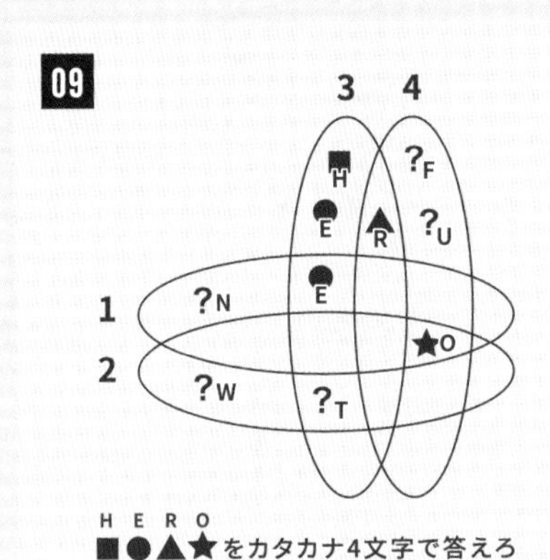

HERO
■●▲★をカタカナ4文字で答えろ

分析力

問題の数字を英語に直すと1は「ONE」、2は「TWO」、3は「THREE」、4は「FOUR」です。楕円が重なっている部分には共通する文字が入ると考え、文字を埋めていくと、■は「H」、●は「E」、▲は「R」、★は「O」になるので、答えは「ヒーロー」。

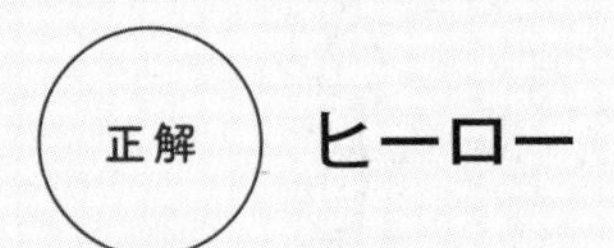

5点

10

はてなのことばせんたくしろ
ハテナの言葉（ことば）選択（せんたく）しろ

?の話（はなし）　ロバと足（た）せ
こくてんのはなしろばとたせ

ろばた　はな　こくてん　としのせ
①炉端（ろばた）　②花（はな）　③黒点（こくてん）　④年（とし）の瀬（せ）

3つの枠が同じであること、それぞれの言葉をすべてかなにすると文字列が似ていることから、3つの枠に入る文字の種類がすべて同じと推測して解きます。?に入るのは「く」「こ」「て」「ん」を組み合わせたものになるので、答えは「③黒点」。

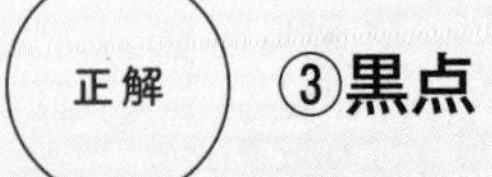

4点

11

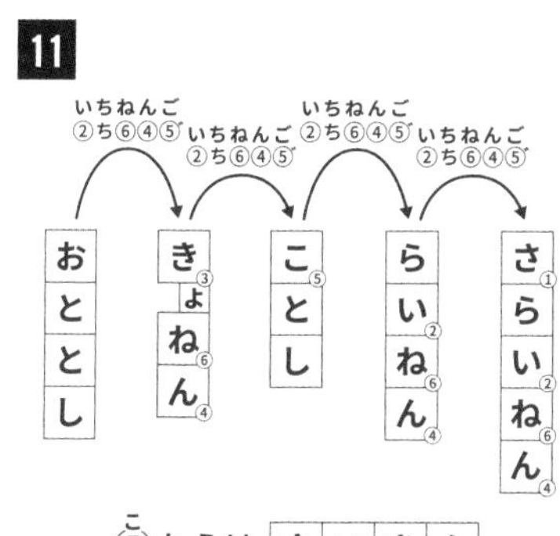

一番下の行から⑤は「こ」だと考えられます。これを上に当てはめると、矢印やマスの文字数から、左から順に「おととし」「きょねん」「ことし」「らいねん」「さらいねん」とが入るとわかります。数字に対応する文字を読んで、答えは「さいきん」。

正解　さいきん

4点

12

○(まる)＋○(さーくる)＝車(くるま)＋ルー(るー)＋差(さ)

★(ほし)＋★(すたー)＝シスター(しすたー)＋帆(ほ)

□(しかく)＋□(すくえあ)＝証(あかし)＋S(えす)＋?(くく)

?に当てはまる2文字の言葉が答え

右辺の単語をすべてかなに変換してみると、左辺の記号を日本語読みと英語読みしたときの文字の種類が同じであることがわかります。「しかく」と「すくえあ」から「あかし(証)」と「えす(S)」を除いて、残った文字からできる単語を考えると、答えは「くく(九九)」。

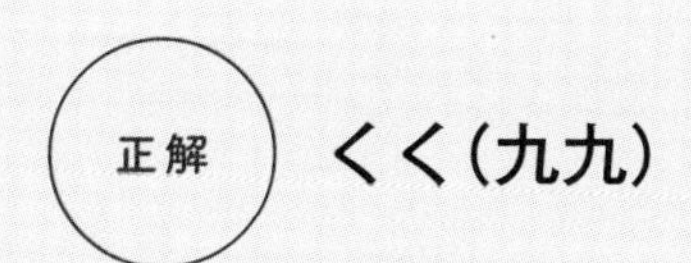

5点

13

- ①゛②③゛④⑤（ダンゴムシ）
- ⑤④⑥④（シマウマ）
- ⑥゛⑥（ゾウ）

がすべて生き物となるように
①～⑥にカタカナを当てはめたとき、

③①⑥（コタツ）＝？

1 コケシ　**2 コタツ**　3 テスト　4 タカラ

選択肢を1つ1つ当てはめてみます。③①⑥（⑤は反転横倒し）が「コタツ」のときに、一番上が「ダ?ゴ?シ」となり、「ダンゴムシ」であると考えられます。同様に2行目、3行目にはそれぞれ「シマウマ」、「ゾウ」が当てはまります。よって、答えは「②コタツ」。

②コタツ

6点

14

さ 5	か	あ 0
し 6	き	い 1
す 7	く	う 2
せ 8	け	え 3
そ 9	こ	お 4

374 − 37 ＝ 505 のとき（えすおーえす）

9269201 が示す言葉は？（そうしそうあい）

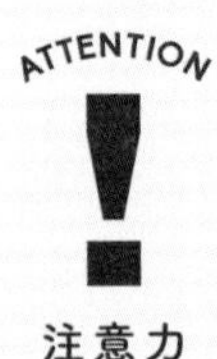

「505」を「SOS」と考え、「374-37」を「えすおーえす」と対応させると、3が「え」、4が「お」、7が「す」だとわかります。上の表と見比べ、赤いデジタル数字は五十音表のあ行、さ行を示していることがわかります。9269201を変換すると、答えは「そうしそうあい」。

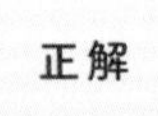

そうしそうあい

6点

15

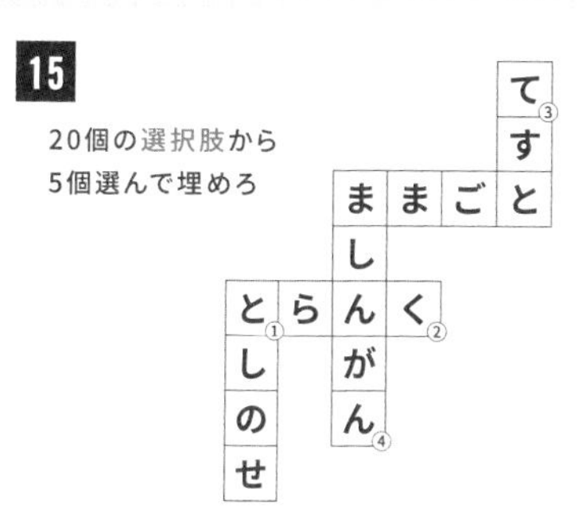

①②③④＝？（とくてん）

持久力

これまでの問題の選択肢の中から、5個選んでマスを埋めます。5文字の選択肢は「ましんがん」のみなので、そこから埋めると左図のようになります。数字に対応する文字を読んで、答えは「とくてん」。

正解　とくてん

6点

16

こたえはたこがきた（「こ」「た」に取り消し線）

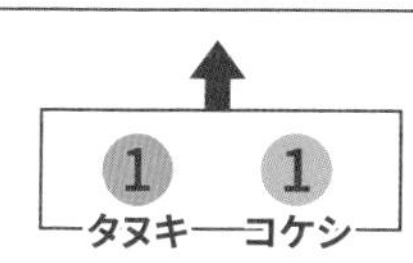

ATTENTION

注意力

1は04の選択肢の「タヌキ」、1は13の選択肢の「コケシ」です。よって「こたえはたこがきた」から「た抜き」、「こ消し」をすると、答えは「えはがき」。

正解　えはがき

5点

17

ANALYTICAL　REASONING

分析力　推理力

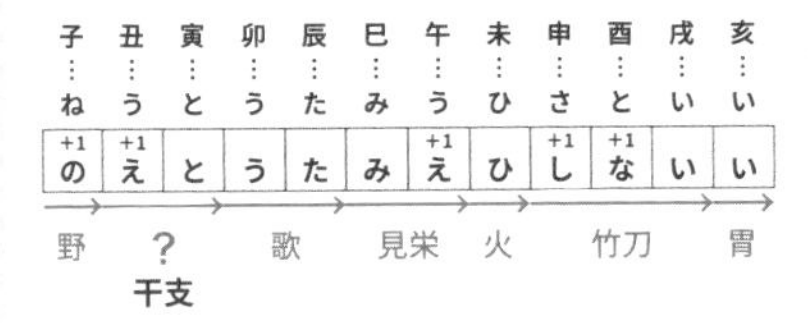

漢字をかなに変換してマスに埋めてみると、左図のような文字列になります。ここで「+1」のあるマスの文字を五十音順で1文字ずらすと、十二支の頭文字と一致します。?に入る言葉を考えると、答えは「えと」。

正解　**えと**

6点

18

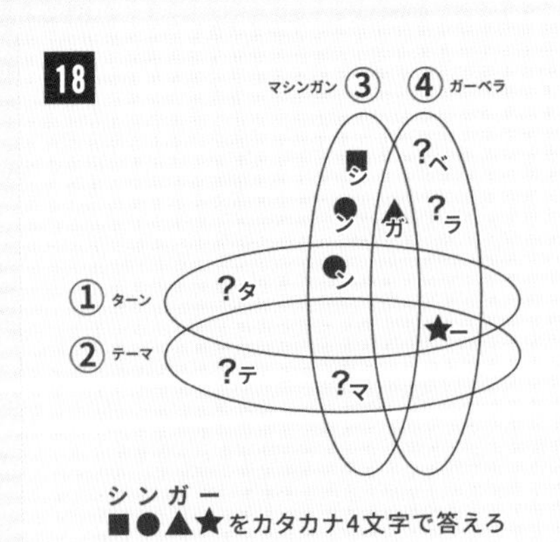

図の地色は09と同じで、◯は06の選択肢と同じことから、これらの問題の要素を使います。06の選択肢の言葉を、09の1234に当てはめ、09と同様に解くと、■は「シ」、●は「ン」、▲は「ガ」、★は「ー」となります。よって、答えは「シンガー」。

正解　**シンガー**

6点

19

	日	月	火	水	木	金	土
03	と S	ち M	ゆ T	う W	げ T	し F	や S
14	そ U	う O	し U	そ E	う H	あ R	い A
08	な N	べ N	や E	き D	う U	ど I	ん T

AM（いち） ＝ 1
FM（しち） ＝ 7
RADIO（あいきどう） ＝ ?

正解 あいきどう

03 14 08の答えをかなにするとすべて7文字なので、右の表に横に埋めることができます。また、この表は縦に3マス×7列という形なので、英字3文字の曜日の表と考えると、英字とひらがなの対応表ができます。ここでAM、FMの例を見ると、Aは「い」、Mは「ち」、Fは「し」となっていることがわかります。「RADIO」に対応する文字を読んで、答えは「あいきどう」。 6点

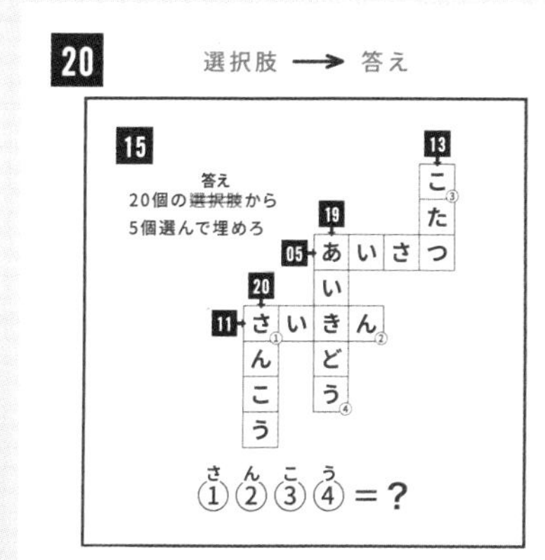

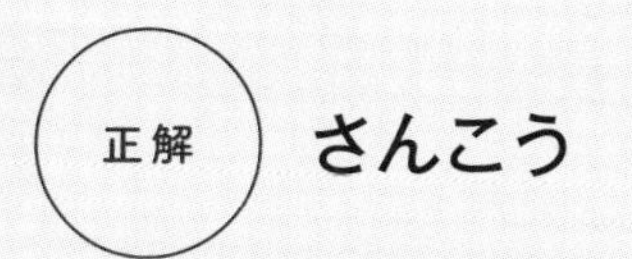

15の問題文の選択肢を答えに変えて解き直します。これまでの答えで、5文字のマスに入る可能性があるのは01の「ながのけん」、19の「あいきどう」です。この2つのうち、スケルトンが成り立つのは「あいきどう」になります。すべてのスケルトンを埋めると左図のようになります。20の答えは当てはめていくと確定します。数字に対応する文字を読んで、答えは「さんこう」。

8点

???

練習問題

NAZOKEN

解答・解説

配点は各問題に記した通りです。
点数に応じて、下記の等級を判定します。

等級	点数	等級	点数
1級	100点	4級	50~59点
準1級	90~96点	5級	40~49点
2級	80~89点	6級	30~39点
準2級	70~79点	7級	20~29点
3級	60~69点	8級	0~19点

※正解と各ジャンルを照らし合わせ、得意不得意を見つけてください。

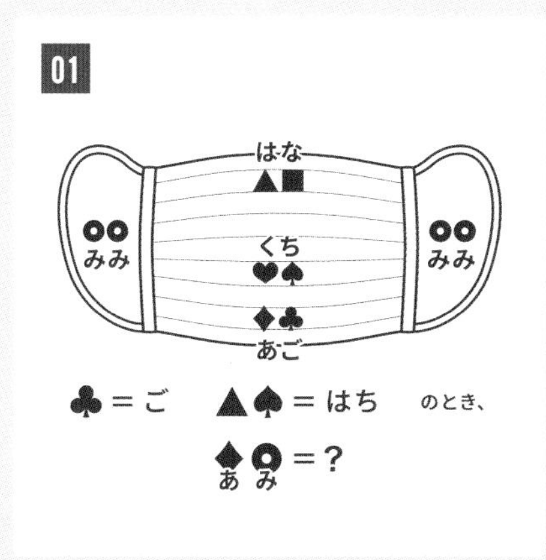

マスクのイラストと各記号の位置、例の「♣＝ご」、「▲♠＝はち」を考慮して記号に入る文字を考えると、●●は「みみ」、▲■は「はな」、❤♠は「くち」、◆♣は「あご」だとわかります。よって、答えは「あみ」。

あみ

4点

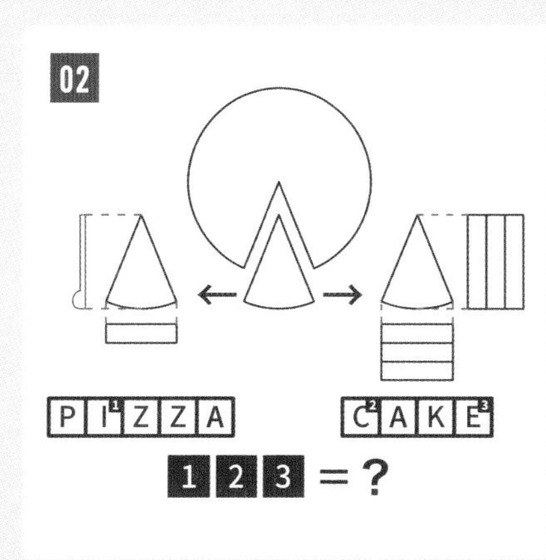

「A」の位置を考慮に入れつつ、三角の切れ端の形を考えると、左のマスには「PIZZA（ピザ）」、右のマスには「CAKE（ケーキ）」が入るとわかります。数字に対応する文字を読んで、答えは「ICE」。

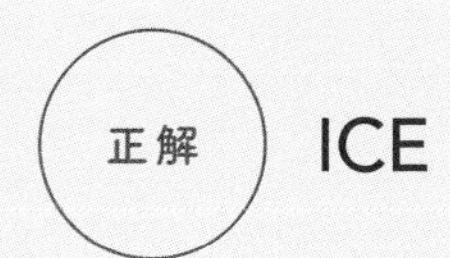

ICE

5点

03

う　う　う
ひおあじちさおひ

ひとあじちがうなら、答えは何？

ひらめき力

「ひとあじちがう」を、「ひ」と「あじち」を「う」に変換すると考えます。よって、答えは「うおうさおう」。

正解　**うおうさおう**

4点

04

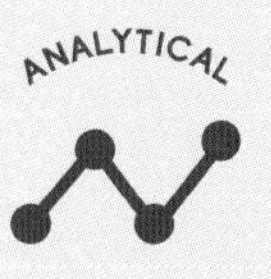

分析力

カードの左上のアルファベットと、漢字をローマ字にしたものを交互に読むと、右の言葉（NE=根、SORI=ソリ）になっていることがわかります。この法則を使って、「SSR」と「AOI」を交互に読み、答えは「さそり（SASORI）」。

正解　**さそり（SASORI）**

5点

05

（曜日）　（画数）

1 − 2,3,4 ＝ ヨ　ヨ

日　2画目 3画目 4画目

4 − 2 ＝ フ　水

水　2画目

のとき、

5 − 1,2,3 ＝ ？　木

木　1画目 2画目 3画目

7 − 1,3 ＝ ？　土

土　1画目 3画目

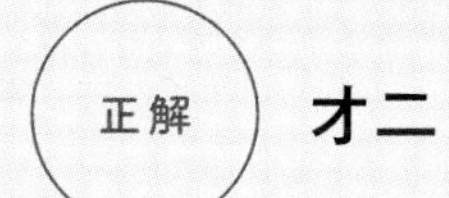

推理力

マイナスの左側の数字は、赤、黒、青に塗り分けられていること、7までということから、曜日の順番（1＝日、4＝水、5＝木、7＝土）を表していると推測します。マイナスの右側の数字を画数と考え、曜日の漢字から引くと、上2行のイコールの右側は「ヨ」「フ」になっていることがわかります。この法則を下2行にも使うと、答えは「オニ」。

5点

06

正解　いきおい

ひらめき力

問題の矢印を指している方向の言葉に置き換えて読むと、それぞれ「うみぎわ」、「こしたんたん」、「むしたおる」、「しょうえね」と単語が成立します。この法則からそれぞれ単語を導き出すと、①は「い」、②は「き」、③は「お」が入ることがわかります。よって、答えは「いきおい」。

7点

07

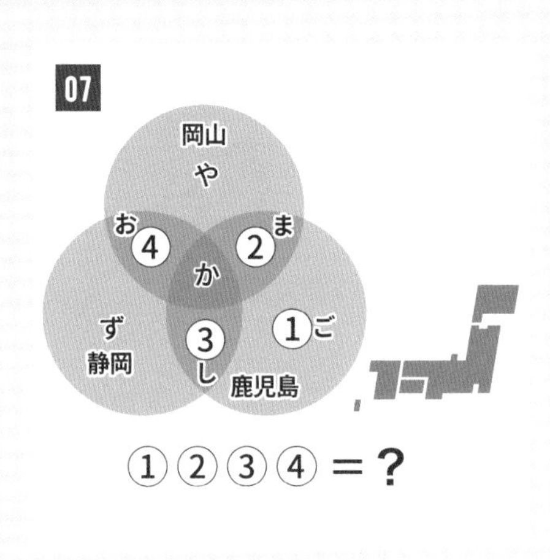

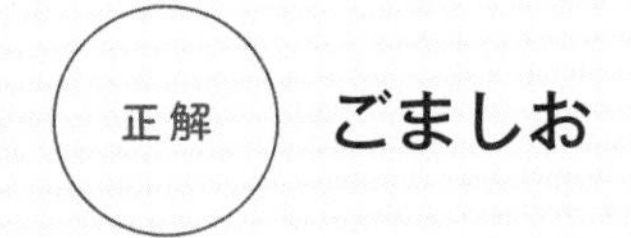

持久力

日本地図が描かれていることから、この円の中にはそれぞれ都道府県名が当てはまると推測できます。円の重なった部分に同じ文字が入るように、都道府県名を当てはめるとそれぞれ「岡山」、「静岡」、「鹿児島」となります。数字に対応する文字を読んで、答えは「ごましお」。

正解　ごましお

6点

08

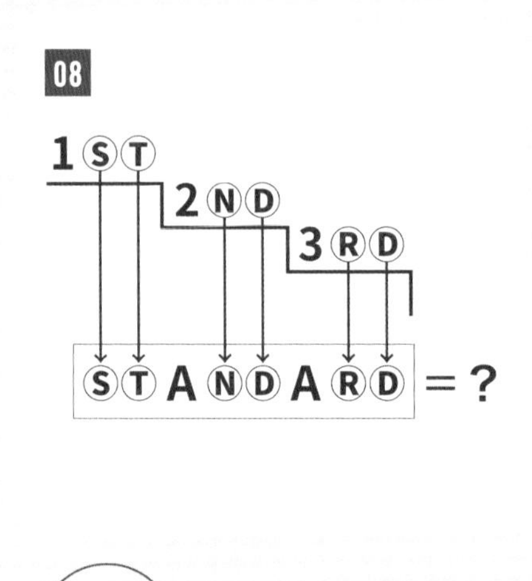

注意力

階段状になった図の意味を考えつつ、下が英単語として成立するように空欄に入るアルファベットを探ると、英語の序数(ST、ND、RD)が埋まることがわかります。よって、答えは「STANDARD」。

正解　STANDARD

6点

09

S が S M A L L のとき、S M I L E は何？

ATTENTION

注意力

それぞれの丸の大きさが違うことに注目し、丸に入る言葉を考えます。意味が通るようにすると、丸には小さい順に「S(Small)」「M(Medium)」「L(Large)」が入ることがわかります。よって、答えは「SMILE」。

正解 **SMILE**

6点

10

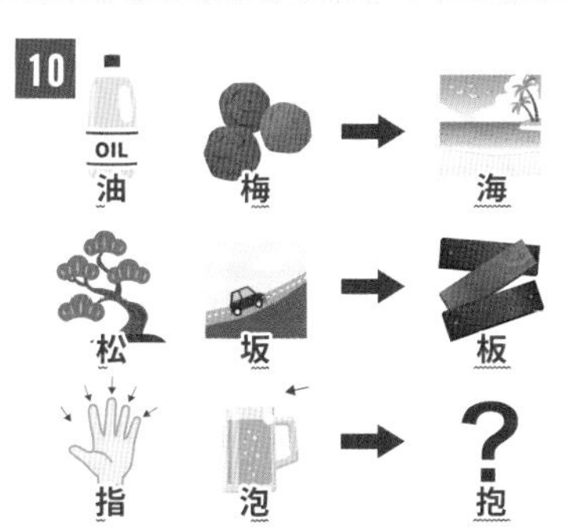

?に入る漢字1文字を答えよ。

ANALYTICAL

分析力

それぞれのイラストを漢字にしてみると、左側の漢字のへんの部分と、右側の漢字のつくりの部分を組み合わせることで、矢印の先の漢字になるという法則が見つかります。よって、答えは「抱」。

正解 **抱**

7点

11

1 2 3 4 ＝？

REASONING
推理力

黒の1にはすべて同じ文字が入ると考え、それぞれの読みがなを文章が成立するように漢字に直すと左図のようになります。赤い部分だけに注目すると、漢字の一部がカタカナに見えるので、数字の順に文字を読んで、答えは「シロネコ」。

正解　シロネコ

7点

12

選択肢の中に1つだけある
食べられないものは何？

いちご	にじ	さんま	しお
1 ご	2 じ	3 ま	4 お

ATTENTION
注意力

選択肢の数字部分をひらがなに直してみると、左から順に「いちご」「にじ」「さんま」「しお」となります。よって、答えは「②じ」。

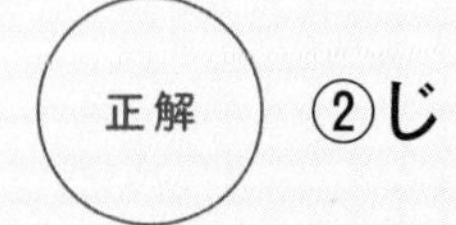

正解　②じ

6点

13

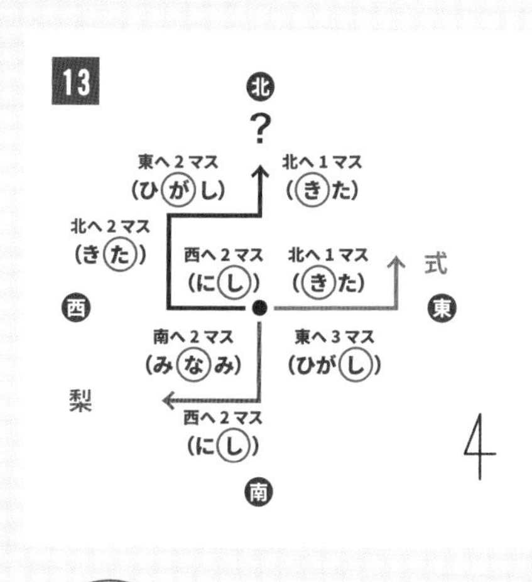

2つの例を見ていくと、中央の黒い点を始点として、進んだ方角の、進んだマスの分の文字数番目を拾う法則（「しき」の場合、東へ3マス→「ひがし」の3文字目の「し」、北へ1マス→「きた」の1文字目の「き」を組み合わせる）がわかります。？は西へ2マス、北へ2マス、東へ2マス、北へ1マス進んでいるので、答えは「したがき」。

正解　**したがき**

8点

自分の最後の７ ➡ さんぷん　自分

音程の最後の 16 ➡ にってい　音程

大喜利の最初の９ ➡ ？　大喜利

各行の最初の漢字と、数字に注目すると、「自分」の書き順の最後の7画は「三分」、「音程」の最後の16画は「日程」になることがわかります。この法則を使って、「大喜利」の最初の9画を読み取ると、答えは「大吉」。

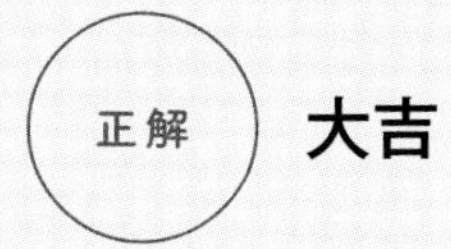

大吉

7点

15

11 ➡ 11　1　C　13
JACK　　J　A　　K

のとき、

*12*を5文字で答えよ。

REASONING

推理力

矢印の先にある「11　1　C　13」の数字部分をトランプのアルファベット表記に直すと、「JACK」となり、斜体の数字はトランプの呼び名であることがわかります。斜体の12をトランプの呼び方にして、答えは「QUEEN」。

正解　QUEEN

7点

16

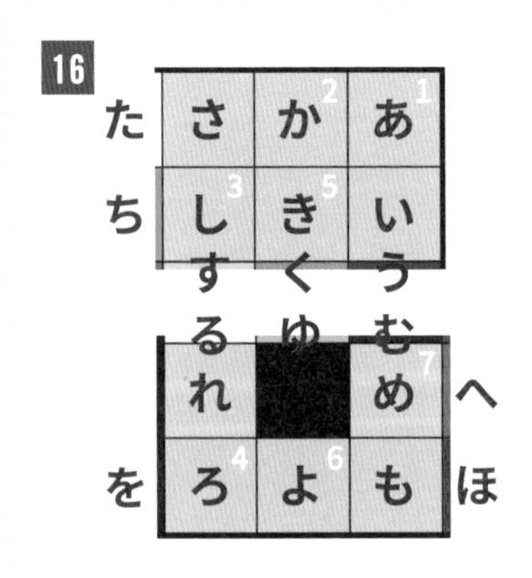

ENDURANCE

持久力

太い線の位置と黒マスから、2つの図は五十音表の一部であると考え、文字を当てはめると、左図のようになります。数字のマスを順に読むと「あかしろきよめ（赤白黄読め）」と指示が出てきます。よって、指定された色の位置にあるべきマスを読むと、答えは「はたる」。

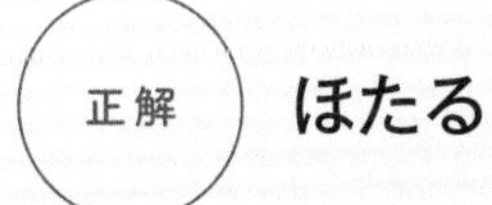

10点

謎検

対策問題集
2021 秋

2021年8月31日　初版第1刷発行

著者：SCRAP
発行人：加藤隆生
編集人：大塚正美

問題制作：第7回謎検＆練習問題 稲村祐汰、入月優、津山竣太郎、原翔馬、三浦びわ
謎検模試01 海野名津紀/いもけんぴ。（監修）、Oz1、杉山翔馬、ぜび、台島逸成 謎検模試02 津山竣太郎
問題監修：第7回謎検＆練習問題 大塚正美、堺谷光、武智大喜 謎検模試01＆02 武智大喜
デザイン：坪本瑞希
図版制作：榊原杏奈
広報・宣伝：伊藤紘子
校閲：岩本知樹、佐藤ひかり
協力：堂野大樹、永田史泰
担当編集：合志佳奈子

発行所：SCRAP
〒151-0051 東京都渋谷区千駄ヶ谷5-20-4 株式会社SCRAP
Tel. 03-5341-4970 Fax. 03-5341-4916
E-mail shuppan@scrapmagazine.com
URL http://scrapshuppan.com/

印刷・製本所：株式会社リーブルテック

Printed in Japan ISBN978-4-909474-51-3

謎検 Webサイト

http://nazoken.com/

こちらで謎検の申し込みを行うことができます（申し込み受付期間のみ）。

また、練習問題や無料のお試し受験コーナー、

過去問がいつでも受検できる「いつでも謎検」もご用意しています。

＼くわしくはこちらから！／

解答用紙A：第7回謎検（オモテ・ウラ）
解答用紙B：謎検模試01（オモテ）、謎検模試02（ウラ）
解答用紙C：練習問題（オモテ）

解答用紙は切り離してご使用ください。